Las culpas de Midas

LAS CULPAS DE MIDAS

Pieter Aspe

Traducción de Marta Fontanals

Barcelona • Bogotá • Buenos Aires • Caracas • Madrid • México D.F. • Montevideo • Quito • Santiago de Chile

Título original: *De Midas moorden*

Traducción: Marta Fontanals

1.ª edición: noviembre 2010

Consell de Cent 425-427 - 08009 Barcelona (España)
www.edicionesb.com

Printed in Spain
ISBN: 978-84-666-4512-6
Depósito legal: B. 35.126-2010

Impreso por LIBERDÚPLEX, S.L.U.
Ctra. BV 2249 Km 7,4 Polígono Torrentfondo
08791 - Sant Llorenç d'Hortons (Barcelona)

A mis hijas Tessa y Mira

El que busca no debe dejar de buscar
hasta tanto que encuentre.
Y cuando encuentre se estremecerá,
y tras su estremecimiento se llenará
de admiración y reinará sobre el universo.

Evangelio según Tomás

El mejor profeta del futuro
es el pasado.

BYRON

1

Adriaan Frenkel probó el tibio y amargo cóctel, puso una mueca de asco y dio un golpecito con el sello del anillo en el vaso.

—¡Camarero! —gritó malhumorado.

El barman dejó el trapo y calibró al holandés con una ojeada insolente.

—Lo siento mucho, buen hombre, pero no consigo tragarme esta birria.

—*Monsieur n'est pas content?*

Mario, un tipo rechoncho con rasgos mediterráneos y un mentón con barba de dos días, miró expectante al pesado cliente.

—*No* —trató de decir en francés el holandés seguro de sí mismo—. *Je veux...*

Y no consiguió añadir ni una palabra más. El barman cogió el vaso y tiró el contenido a la pila con gesto despectivo. Frenkel alzó los hombros resignado. «Estoy en Bélgica», pensó desmoralizado.

Frenkel le señaló las botellas que estaban detrás de la barra. Se sentía como un explorador del siglo XIX obligado a hablar con las manos para hacerse entender por los nativos.

La cara de Mario se iluminó. Con una sonrisa triunfal cogió un vaso limpio y en un periquete mezcló una ginebra con naranjada.

—¡Joder! —mascculló Frenkel—. ¡No quiero otra porquería de ésas!

Mario le alcanzó la ginebra con naranjada con la cabeza gacha.

—¡Vale, me rindo! —dijo Frenkel suspirando.

Cogió el vaso sacudiendo significativamente la cabeza.

—Me das bono y yo pago. Después me voy —añadió en holandés tarzanesco.

—*Ah, ce n'est pas bon!* —dijo Mario con una mueca infantil.

Frenkel estaba temblando en el taburete. Un amigo le había recomendado el Villa Italiana como el mejor club de Brujas. Bebidas fuertes y chicas con buena disposición, se había jactado.

—Me refería a un ticket para mi jefe —dijo desesperado.

Mario levantó el vaso y lo examinó contra la luz de un foco halógeno.

—*Monsieur va prendre un bon whisky* —dijo paternalmente.

—Sí, un whisky —dijo casi a punto de llorar Frenkel.

Había tenido un día horroroso. A falta de mujeres, el alcohol era la única alternativa. Mario se dio la vuelta y le señaló también él las botellas que se alineaban detrás de la barra.

—Sí —dijo Frenkel—. Un J&B, perfecto.

El barman deslizó negligentemente el índice por encima de las botellas. Lo pasó ostensiblemente rápido por el J&B y se demoró en el Chivas.

—Tanto da. Ponme ése —refunfuñó Frenkel.

—*Un bon choix, monsieur* —dijo Mario con un guiño cómplice.

Secó un vaso y lo sostuvo con garbo profesional bajo el dosificador. Su sonrisa simiesca empezaba a poner a Frenkel de los nervios. El barman cogió un cubito de hielo del congelador y lo sostuvo inmóvil encima del vaso.

Frenkel asintió con la cabeza y Mario dejó que el cubito se zambullera en el whisky. Repitió el ritual consultando con la mirada al holandés.

—*Oui, oui, encore.*

Tras cuatro cubitos, Frenkel hizo el gesto de que ya era suficiente.

—*Basta* —dijo deliberadamente entre dientes.

Mario se rio como un cura siciliano que justo acabara de atrapar a la más deliciosa de las ovejas descarriadas y se inclinó para sacar una botella de Coca-Cola del refrigerador.

Entró un grupito de ruidosos clientes. Unas emperifolladas chicas se precipitaron a la pista de baile, mientras sus elegantes acompañantes tomaban asiento en los taburetes libres.

—*Dommage pour le bon whisky* —dijo Mario mientras echaba la Coca-Cola encima del hielo y el Chivas.

Frenkel respiró profundamente y trató de contenerse. No había pedido en absoluto una Coca-Cola.

Cansadas de bailar, las pelanduscas se acercaron contoneándose a la barra. Mario, que conocía bien su trabajo, giró el botón del amplificador hacia la derecha.

Frenkel acababa de tomar un sorbo de su inmejorable Cola con whisky cuando los obstinados bajos de esa jodida música *house* hicieron que las tripas se le estrellaran contra el diafragma. Hubiera podido beberse de un trago el Chivas, pagar la cuenta y desfilar, pero en lugar de eso se dirigió caprichosamente hacia el salón contiguo. Por lo menos ahí se estaba un poco más tranquilo. En realidad, no tenía muchas opciones. O empinar el codo o contar ovejas en una posmoderna habitación de hotel.

«Villa Mafia» ganó a las ovejas. Adriaan Frenkel se dejó caer extenuado en uno de los sillones de cuero.

—¡Me he pitorreado de un jodido holandés! —le dijo Mario con un fuerte acento de Brujas a uno de los camareros, que se parecía como dos gotas de agua al conde Drácula—. Y además quiere un ticket para que se lo descuenten en el trabajo. Siempre es igual con estos clientes.

El lívido camarero se rio maliciosamente.

—¡Procura que el patrón no te oiga! ¡Los holandeses son nuestros mejores clientes!

Mario se encogió de hombros y sirvió cuatro cervezas de barril.

—¡No seas aguafiestas, hay que reír un poco en esta vida!

Tomó un trago de la ginebra con naranjada que el holandés había rechazado y escribió 600 fr. en la cuenta de Frenkel: 280 por el cóctel y 320 por el whisky con Cola.

El señor Georges era un cliente habitual del Villa Italiana. Apenas entrar, salieron rápidamente dos camareros de la nada para ayudarle a quitarse el abrigo.

—¿Está libre el salón, Jacques? —preguntó el señor Georges en un tono amistosamente autoritario.

Si Mario no le hubiera tomado el pelo al holandés, podría haber respondido afirmativamente.

—Si no me equivoco, sólo hay una persona, señor Georges, un turista con una cogorza.

El señor Georges se rio como un sapo con síndrome de Cushing. Pasaron algunos segundos hasta que todos los michelines volvieron a sus respectivos pliegues.

Jacques no movió ni un músculo. Las carcajadas del señor Georges eran legendarias y nadie sabía si ese estallido era un buen o mal augurio.

—*O.K.!*, Jacques. *No problem*.

Metió su rolliza mano en el bolsillo y sacó un billete de dos mil.

—Ocúpate de que nadie nos moleste y tráenos una botella de Ruinart, 1983 *si c'est possible*.

—Entendido, señor Georges —respondió Jacques sinceramente agradecido.

El pálido camarero tenía tres hijos de su primer matrimonio que le costaban un dineral.

Adriaan Frenkel vio entrar a los hombres. Una pareja de ancianos caballeros no era exactamente la compañía que estaba esperando. Incluso consideró la posibilidad de marcharse, pero la generosa cantidad de Chivas que corría por sus venas le hizo desistir. Cada vez que miraba hacia arriba, el techo giraba como un carrusel por encima de su cabeza.

Cuando Jacques sirvió el champán, Frenkel pidió otro whisky con Cola. Si aparecían chicas siempre podía hacerles creer que estaba casado.

—¡*Ach, wunderbar*, Georg! —oyó que decía uno de los hombres, mientras Jacques descorchaba la botella de champán.

El hombre que había hablado era el vivo retrato de Dirk Bogarde en una película mala de Visconti. Depositó una pesada cartera de documentos en la mesa de mármol del salón.

—*Warum nicht, mein Freund?* Tenemos algo que celebrar, ¿no? —dijo el otro en un derrengado alemán—. *Alles geht sehr gut.* Dame algunos meses más y controlaremos todo el mercado.

El alemán esbozó una falsa sonrisa y levantó la copa.

—*Zum Wohl!*

Bebían el champán como antílopes sedientos. Media hora después, el gordo pidió una segunda botella.

Frenkel, por el contrario, no había vuelto a tocar su whisky. Se había arrellanado confortablemente en el sillón. El techo ya no giraba como una peonza y estaba disfrutando de su dulce borrachera.

—Entonces nuestro segundo negocio también está encaminado —oyó que decía el alemán.

Los dos hombres hablaban cada vez más alto. Frenkel podía seguir su conversación sin ningún esfuerzo.

—Dietrich. Tú me conoces... Todo está arreglado.

—*Gut*, pero en Múnich la gente empieza a hacerse preguntas. No todo el mundo está de acuerdo con el proyecto.

—*Ach, Scheisse*, Dietrich! Entiendo que tengáis dudas, pero ¿no has visto suficiente esta noche para convencerte?

—El consejo aprecia tus esfuerzos, Georg. Voy a emitir un informe en ese sentido, pero...

—No te preocupes, Dietrich. El mes que viene se

tratará el tema en el consejo municipal. El nuevo alcalde se muestra un poco reticente. Puede que retrase un poco el proceso, eso es todo.

Este argumento le causó poca impresión a Dietrich Fiedle. El alemán ya llevaba cuatro copas de champán entre pecho y espalda, pero seguía hablando en un tono glacial.

—No olvides que la fusión peligra si hay demasiados obstáculos.

—Le puedes asegurar a la gente de Múnich que yo mantengo lo acordado —replicó el señor Georges en un tono decidido.

—Antes de Semana Santa el asunto estará arreglado. No entiendo por qué les entra el pánico en Alemania. Los flamencos siempre mantenemos nuestra palabra. Y tú deberías saberlo.

El alemán miró a su alrededor como un halcón sobresaltado. Lanzó una mirada en dirección a Frenkel, que escuchaba irreflexivamente.

—Admite, Dietrich, que esta noche no era en absoluto necesario un...

Fiedle le cerró la boca.

—Eso fue únicamente un servicio, Georg. Considéralo una muestra de lo que está por venir. Dentro de poco Kindermann se convertirá en la agencia de viajes más grande de Europa y después de la fusión tú serás uno de los directores generales. No preguntes, Georg, y disfruta de tus privilegios.

El señor Georges se bebió golosamente el champán. Frenkel vio cómo el precioso líquido pasaba a través de un par de rollizas papadas y acababa chapoteando en su esófago.

—Sigo sin entender por qué tenía que ser por fuerza

esta noche —insistió obstinado—. Podríamos haberlo hablado todo en Zeebrugge el lunes.

Dietrich se pasó la huesuda mano por su lacio pelo peinado hacia atrás. El belga no entendía que él era un peón en un juego cuyas reglas sólo muy pocos conocían.

—*Herr* Leitner quiere tener copias de todas las actas notariales mañana en su despacho —dijo imperiosamente—. El lunes será demasiado tarde.

El gordo belga se rio. No tenía la intención de entablar una discusión sobre Leitner.

—En todo caso, Brujas es una ciudad preciosa.

Fiedle sostuvo la copa contra la luz, como si estuviera buscando impurezas.

—*Sehr schön* —admitió—. Lástima que casi todos los edificios sean falsos.

El señor Georges se atragantó y Frenkel parpadeó.

—¡No exageres, Dietrich! Cada año vienen aquí millones de turistas de todos los rincones del planeta para respirar su particular ambiente.

—Sí, en efecto, vienen aquí por el ambiente —dijo Fiedle con desdén—. Precisamente por eso Kindermann está a punto de invertir trescientos millones de marcos alemanes en el proyecto. Después de todo, el cliente siempre tiene razón y nosotros ganamos dinero si le damos al consumidor lo que desea.

El alcance de estas palabras se le escapó a Frenkel. El señor Georges llenó de nuevo las copas.

—¿Qué quieres decir con falsos? —preguntó de pasada—. Brujas es una ciudad medieval.

El alemán se puso la copa en los labios y bebió con la indiferencia de un cisne aburrido. Su puntiaguda nuez se movió varias veces arriba y abajo.

2

Alrededor de las seis cayeron los primeros tímidos copos de nieve. Cuando Gino Hilderson inició su trabajo a las siete y media, Brujas resplandecía bajo el más romántico de los decorados. Con su Vespa trazó una solitaria huella a través de las calles vacías. En el Vismarkt volcó el contenido del primer cubo de basura en el contenedor elevado.

A medio camino de la Blinde-Ezelstraat Gino disminuyó automáticamente la marcha. Al principio de esa calle un mojón de granito belga impedía el paso del tráfico. Pero como diestro conductor que era, guió la Vespa sin dificultad entre el obstáculo y el lateral del ayuntamiento. De ese modo ganó cinco preciosos minutos.

A pesar de ir muy lento, la Vespa derrapó peligrosamente cuando Gino pisó el freno. Dos metros delante de él yacía un hombre con la cara contra los adoquines de la calle. Cuando Gino, con una maldición entre dientes, bajó de la moto y cerró la portezuela de un golpe, el otro permaneció inmóvil.

—¿Qué pasa, tío, has empinado demasiado el codo?

El hombre llevaba un elegante abrigo color canela y brillantes zapatos embetunados.

Gino olvidó su primera irritación y con mirada preocupada evaluó el estado del hombre, seguro que había abusado de la botella. Se arrodilló y sacudió al hombre bruscamente por el hombro.

—Hey, amigo —susurró con voz ronca.

De repente el hombre empezó a gemir.

—Venga, tío —dijo Gino aliviado—. ¡Ponte en pie! Espera, que te ayudo.

El empleado municipal era un tipo musculoso. Cogió al hombre por debajo de las axilas y lo levantó hasta apoyarlo contra el muro del ayuntamiento, justo debajo de los armarios vitrina con las notificaciones de las bodas.

—¿Te encuentras un poco mejor? —preguntó ingenuamente.

El hombre no tenía en absoluto aspecto de joven y estaba pálido como un muerto. Ni siquiera tenía color en los labios. Gino se inclinó hacia él para olfatear en busca de vestigios de alcohol.

—¡Apestas a alcohol! —dijo impotente.

Dietrich Field oyó la desconocida voz a través de un velo opaco, exactamente como si nadara bajo el agua y el sonido se produjera en la superficie. Mascando una colilla, Gino permaneció observando indeciso. Cuando el hombre se desplomó de lado, advirtió la sangre coagulada en la sien izquierda.

—¡Mierda! —maldijo—. ¡Espérame, vuelvo enseguida!

Gino echó a correr, cruzó en diagonal el Burg y corrió por toda la Breydelstraat.

De las cuatro cabinas telefónicas del Markt, había por suerte una que consiguió que aceptara las monedas. El timbre sonó seis veces.

—¿Hola, el 100? —gritó cuando Jozef Demedts cogió el aparato al otro lado.

—Acabo de encontrar a un tío desangrándose. ¿Puede enviar a alguien?

Demedts colocó cuidadosamente el cigarrillo en un cenicero de cristal y cogió su bolígrafo.

—¿Me puede decir su nombre, por favor? —preguntó impertérrito.

—Gino Hilderson. El tío está tendido bajo la arcada dorada en la Blinde-Ezelstraat —gritó Gino furioso.

No sabía que Demedts había pasado el aviso a la policía y que dos enfermeros se dirigían ya hacia allí en una ambulancia. Demedts había apretado el botón de alarma cuando Gino había pronunciado la palabra «desangrándose».

—¿Está consciente la víctima?

El agente de la policía de Brujas que estaba de servicio escuchaba también ahora a través de una línea especial de emergencias. Había una patrulla en la zona. Los llamó a través de la radio.

—En mi opinión, no aguantará mucho más. Si no llegan enseguida, ya estará muerto —chilló Gino.

—De acuerdo, señor Hilderson. Vuelva junto a la víctima y quédese allí. La ambulancia está de camino.

Demedts cortó bruscamente la comunicación. El asunto le parecía lo bastante grave como para llamar al equipo médico de urgencias.

Antes de empezar su turno, el doctor Arents se había dado un revolcón con una ágil enfermera y estaba de un humor excelente.

La llamada de Demedts no podía alterar en nada su estado de ánimo. Corrió al garaje junto con Ivan Dewilde. Arents se sentía como un joven dios. Al contrario que esos pobres que se consumían en una esterilizada habitación de hospital, a él la vida le había tratado con benevolencia: era joven, sano y se ganaba bien la vida.

Aunque no había tráfico, Dewilde conectó la sirena. El Renault Espace reaccionó con brusquedad cuando aceleró y partió a todo gas por la avenida cubierta de nieve.

Para Gino Hilderson los minutos parecían horas. Estaba de pie, inexpresivo junto a la víctima, que ya no mostraba ningún signo de vida.

La furgoneta de la policía fue la primera en llegar como una bala al Burg. El agente Bruynooghe dirigió a su colega hacia el lugar donde estaba la víctima.

—Creo que está bien muerto —dijo Gino, con aspecto abatido, cuando los agentes estuvieron a su lado.

Bruynooghe, un pequeño y fornido policía, se inclinó hacia el hombre. Hacía veintidós años que era policía, así que de una ojeada constató que el basurero no exageraba. Sin perder ni un minuto, corrió hacia la furgoneta.

—Aquí el agente Bruynooghe —dijo por radio, con voz tranquila y sin casi denotar ninguna emoción—. La víctima está inconsciente, probablemente agonizando.

—Encima de la sien izquierda tiene una fea herida. Una caída me parece totalmente descartable —añadió con gravedad.

Jean-Marie Vervenne, el oficial de guardia, consultó su reloj de pulsera. Dentro de diez minutos se acababa su turno. Consideró la posibilidad de traspasar el caso al colega que le relevaba, pero, por otro lado, Bruynooghe no era un tipo de esos a los que todo les da igual. Si se

trataba de un caso criminal, esos diez minutos le podrían costar caros.

—De acuerdo, Bruynooghe. Voy para allá.

El bajito agente sonrió cuando su superior cortó la comunicación.

La ambulancia pasó por encima de la nieve como un arado por encima de un pólder inundado por la lluvia. Jan Decoster sostenía el maletín de primeros auxilios apretado contra el pecho, preparado para intervenir. En esas condiciones de frío, cada segundo era vital, incluso en un trivial accidente de tráfico, la hipotermia puede ser fatal. Wim Defruydt aparcó la ambulancia a menos de dos metros de la víctima. Antes de saltar fuera del vehículo, Jan Decoster cogió una manta isotérmica extra. Su colega estaba ya en cuclillas junto al herido y cuando notó que no tenía pulso lo alejó del muro. Decoster sacó la manta isotérmica de la funda protectora y envolvió al viejo. El enfermero sabía que en espera del médico debía contentarse con seguir el procedimiento estándar, que en la jerga profesional se llama el ABC: dejar libres las vías respiratorias, hacer el boca a boca y tratar de mantener la circulación sanguínea con un masaje cardíaco.

Defruydt mientras tanto sacó un suero fisiológico de la ambulancia y preparó una goma elástica.

Gino Hilderson observaba la escena a distancia. De repente oyó una segunda sirena. El Renault Espace del servicio médico de urgencias se acercaba al Burg a través de la Breydelstraat. Diez segundos después llegaba Jean-Marie Vervenne. Las huellas de los neumáticos de ambos vehículos se cruzaron casi como en un cuadro de Mondrian.

Decoster cedió inmediatamente su sitio a Arents, que se arrodilló junto a la víctima. El médico controló las funciones vitales y continuó el masaje cardíaco. Unos dos minutos después llamó a Decoster otra vez.

—Sigue tú.

Decoster asintió con la cabeza. En su opinión el hombre estaba bien muerto.

El doctor Arents abrió de golpe su maletín, rebuscó entre jeringuillas estériles envueltas en plástico y tras veinte segundos encontró lo que estaba buscando.

A la vista de la aguja de quince centímetros, Gino se estremeció. Arents vació una ampolla de adrenalina, verificó la jeringuilla a la luz de un farol y se inclinó sobre la víctima. Marcó el lugar y clavó la aguja a través del esternón directo en el corazón del agonizante alemán.

—Yo en tu lugar no me quejaría —se rio para sus adentros Versavel—. Tú mismo habías pedido trabajar horas extra los domingos.

Van In carraspeó y encendió un cigarrillo. El traje le caía como un trapo viejo arrugado.

—Lo cual no quiere decir que tenga que recoger la mierda de Vervenne —dijo con voz ronca—. No he pegado ojo en toda la noche. Se supone que un domingo es un día tranquilo.

Versavel se alisó el bigote y observó compasivo a Van In. El comisario se acercó furioso al alféizar de la ventana y se sirvió una taza de café.

—¿Quién, maldita sea, tiene la idea de cometer un asesinato un domingo por la mañana? —refunfuñó Van In.

—Cuando se lo llevaron todavía no estaba muerto —replicó secamente Versavel—. Pero según uno de los enfermeros su estado era crítico. Un hematoma subdural es normalmente fatal en estas circunstancias.

—¡Habla normal, Guido!

—Fractura craneal con hemorragia interna. Perdón, comisario.

Versavel fue a sentarse tras su escritorio y estiró las piernas. Al contrario que Van In, iba impecablemente vestido.

—¡Y por si fuera poco un alemán! —añadió Van In—. A fin de cuentas, podríamos considerarlo un golpe de suerte.

Versavel se cuidó mucho de responder. Todo el mundo sabía que Van In no soportaba a los alemanes.

—Me temo que algo tendremos que hacer, comisario. Llamará Derrick y querrá que le pongamos al corriente del asunto.

Se agachó instintivamente cuando Van In le amenazó con tirarle la taza de café medio llena.

—Sería lástima por el café —gruñó Van In cuando Versavel se incorporó.

—¿Ha terminado Vervenne el proceso verbal?

—Ya le conoces, ¿no? Ése al mediodía no escribe ni una página. Además, creo que todavía está en el lugar de los hechos.

—*Benson im Himmel!* ¿Entonces de qué nos preocupamos?

—Si te lo tomas así, yo también tomaré una taza de café —dijo Versavel resignado.

—Espero que Vervenne haya informado a la fiscalía —dijo Van In al cabo de un rato—. Si ese alemán se muda al Walhalla, les podremos pasar el caso.

—¿De verdad no sientes ninguna curiosidad?

Van In sacudió la cabeza. Versavel sabía que estaba haciendo comedia.

—El móvil puede ser interesante... —intentó Versavel—. Por dinero, en todo caso, no fue. La víctima llevaba en el bolsillo ochocientos marcos en tres tarjetas de crédito.

—Admito que si se tratara de ochenta mil marcos hubiera sido más interesante —respondió Van In con sarcasmo.

Versavel estaba acostumbrado a los ataques de mal humor del comisario; se limitó a oler el aroma de su café.

Fuera, había empezado a nevar de nuevo. Eran las nueve y cinco y los coches circulaban todavía con los faros encendidos.

—Hay cuatro agentes que se están ocupando de la investigación a pie de calle —dijo de nuevo Versavel para intentar retomar la conversación.

—¿Y esperas que eso dé algún resultado? Por lo que yo sé, no vive ni un gato en el Burg.

Van In se levantó, bostezó y anduvo hacia la ventana. Se quedó mirando fijamente un grueso copo de nieve que caía suavemente.

—El conserje del ayuntamiento ha declarado que a las dos y media oyó un ruido sordo.

—¿Vio algo?

Van In perdió de vista el copo de nieve y buscó otro con la mirada.

—¿A ti qué te parece? Sólo se levantó cuando sonaron las sirenas.

—¡Pues sí que nos sirve de mucho!

Van In empezó a ver doble de tanto fijar la mirada. Se volvió, volvió a llenarse la taza de café y le echó dos terrones de azúcar.

Versavel se dio unos golpes con insistencia en su plano y musculoso vientre.

—Ya está bien, ya está bien, Versavelito. Imagínate

que todo el mundo fuera por ahí como Míster Universo, ¿de qué te pavonearías entonces?

—¿De verdad quieres saberlo? —preguntó Versavel con cinismo.

—*Benson im Himmel!*, ¡sí que estamos sutiles hoy!

Versavel sonrió. El comisario iba recuperando poco a poco su buen humor.

—Unos gozan de un físico perfecto y otros tienen cerebro —dijo Versavel frívolamente.

Eso fue el golpe de gracia.

—¡No hace falta que me hagas la pelota, Guido! Llama a Vervenne y dile que nos ocupamos del caso, porque si no hacemos nada, mañana me caerá el viejo encima.

—¡A sus órdenes, comisario!

—¿Ordenó Vervenne que tomaran fotos? —preguntó Van In mientras entraban en el ascensor del hospital.

—He llamado a Leo —respondió Versavel sonriendo—. Con un poco de suerte, le veremos en la cafetería.

—¡Arrogante pilluelo! Ya sabías que al final vendría.

Versavel mantuvo sensatamente la boca cerrada.

—Supongo que el protocolo sanguíneo ya estará listo. El que anoche bregaba por la nieve, no creo que saliera del cine. No me sorprendería que el cabeza cuadrada ese hubiera estado de juerga.

La enfermera con la que compartían el ascensor hizo un gesto de desaprobación.

—No se mata a la gente porque esté borracha —contestó Versavel con voz neutra. Si fuera así, tú ya no estarías en este mundo, le habría gustado añadir.

La unidad de vigilancia intensiva del hospital Sint-

Jan estaba saturada. Las ocho enfermeras y los dos médicos hacían todo lo que estaba en sus manos, pero apenas podían afrontar el peaje de víctimas que cada fin de semana se cobraba el tráfico.

—Policía, señorita —dijo Van In haciéndose el americano frente a la guapa recepcionista que estaba tras el mostrador.

—Buenos días, caballeros. ¿En qué puedo ayudarles? —dijo con voz agradable y educada—. Estoy a su disposición.

Versavel esperó que Van In se contuviera; le vio dudar.

—Querríamos hablar con el jefe médico de servicio —dijo.

La chica frunció el ceño como si Van In le hubiera pedido una entrevista con Nuestro Señor Jesucristo.

—El médico responsable del equipo de urgencias médicas —aclaró el comisario.

—El doctor Arents —completó Versavel.

—¡Y dígale que es urgente!

Con el personal médico y sobre todo con los doctores hay que medir muy bien las palabras. «Urgente» es un término del que sólo ellos quieren tener la exclusiva. Versavel se temía lo peor.

La recepcionista inspiró profundamente. Van In aprovechó para admirar las curvas que dejaba entrever su fina blusa blanca. La joven se estremeció y apretó las mandíbulas. El año pasado se había licenciado en medicina y tras seis meses de buscar trabajo, éste era el mejor puesto que había encontrado. Acumulaba horas extras, estaba estresada, frustrada y apenas ganaba lo suficiente para vivir sola.

—Al doctor Arents hace un cuarto de hora que le

han llamado en otro sitio —dijo con una sonrisa falsa—. Lo siento mucho, señores.

Se dio la vuelta y se instaló tras el ordenador. Alisó una hoja de un expediente y empezó a teclear en el ordenador.

—Hágame un favor, joven —dijo Van In con una voz una octava más grave. Incluso Versavel se estremeció.

—Estoy investigando un intento de asesinato. La víctima se llama Fiedle y cstoy seguro de que el doctor Arents le administró los primeros auxilios.

La joven no parecía en absoluto impresionada. Enderezó la espalda y empezó a golpear el teclado como una posesa.

—Ignoro si tienes un contrato fijo.

Los dedos le quedaron en suspenso encima de las teclas. Fulminó con la mirada a los dos policías.

—... pero si no puedes conseguir que en cinco minutos el doctor Arents esté aquí, te puedo asegurar que a partir del mes que viene tendrás que ir a buscar tus bártulos en el Ejército de Salvación.

Versavel se acarició el bigote para disimular una sonrisa. Cuando Van In no tenía un buen día, conseguía ser especialmente insolente.

La chica imploró con la mirada como un ciervo que acabara de perder a su cervatillo.

—En ese caso... —dijo indecisa.

Sus gráciles dedos cogieron el auricular del teléfono. Van In se deleitó del efecto Bruce Willis y encendió un cigarrillo con gesto desafiante.

—El doctor Arents justo acaba de regresar —añadió de mala gana—. Si los señores pueden esperar un momento. El doctor viene enseguida.

Bajo la bata blanca Arents llevaba un caro traje de corte italiano.

Versavel estaba subyugado.

—Doctor Arents. Soy el comisario adjunto Van In y éste es mi colega, Guido Versavel.

Se estrecharon formalmente la mano.

—Encantado —dijo Arents fríamente.

Todavía le quedaban nueve horas de trabajo por delante y un interrogatorio policial no era precisamente el descanso que estaba esperando. Versavel dio un paso atrás para admirar mejor al doctor Adonis.

—Se trata de Dietrich Fiedle, el turista alemán que...

—Ese paciente está siendo ahora operado —le interrumpió Arents fatigado—. Está en estado crítico. Es completamente imposible que puedan interrogarle.

—Por supuesto, doctor —Van In adoptó conscientemente una actitud humilde—. No era ésa en absoluto mi intención.

Versavel se puso la mano en la boca e hizo como si se estuviera acariciando el bigote. En su opinión, el comisario estaba haciéndose demasiado el pelota.

—Es evidente que no queremos tomar declaración a la víctima. Supongo que debe de estar en coma.

—En ese sentido no puedo pronunciarme, comisario —dijo Arents arisco.

—¡SECRETO PROFESIONAL! —rio disimuladamente Versavel.

—Usted mismo acaba de decir que estaba en estado crítico —insistió amigablemente Van In.

—Sí —admitió Arents, que empezaba a estar harto de ese juego del ratón y el gato—. Por el amor de Dios, ¿qué quieren entonces que haga? Hace media hora le he dado permiso a alguien de la policía para que le tomara una foto. Incluso si la intervención sale bien, el señor Fiedle estará todavía algunas semanas incomunicado.

Van In enderezó la espalda y apagó la colilla en una maceta. Arents no había protestado por el cigarrillo. Por consiguiente consideró que el doctor era menos inflexible de lo que quería aparentar.

—Sólo estoy interesado en sus pertenencias personales —dijo Van In con indolencia—. Entiendo que cada cual tiene que hacer su trabajo. Usted se ocupa de los enfermos y yo trato de completar mi expediente.

Arents afirmó con la cabeza. De repente parecía bastante menos arrogante.

—¿En qué puedo serles de ayuda, comisario?

Con esta pregunta, Arents demostró que, como la mayoría de los médicos, apenas escuchaba. Van In le acababa de decir lo que quería.

—Le agradecería que me dejara echar un vistazo a las pertenencias personales de Fiedle —repitió Van In, omitiendo conscientemente la palabra «doctor».

—Eso no es ningún problema —dijo Arents formalmente—. Myriam, ¿podrías atender a los señores?

La recepcionista asintió con la cabeza.

—En ese caso vuelvo otra vez a urgencias.

Versavel captó cómo se cruzaban las miradas de Arents y Myriam. Arents era desgraciadamente un heterosexual pura sangre. Decididamente, no había justicia en este mundo.

3

—¡Lástima que aquí no sirvan cerveza Duvel! —exclamó Leo Vanmaele cuando vio acercarse a la barra de la cafetería a Van In y Versavel.

—Eh, Leo —dijo Van In sonriendo—. Seguro que un capuchino tampoco nos vendrá mal.

Leo apartó a un lado su pesada Nikon.

—¿No te había dicho Versavel que os esperaría aquí?

—Los designios de Dios y los de Versavel son inescrutables —se mofó Van In.

El brigadier le guiñó un ojo a Vanmaele.

—¿Les sirvo algo, señores? —preguntó la mujer con una gruesa capa de maquillaje que estaba tras la barra.

—Tres capuchinos, por favor.

Van In sacó dos billetes de cien de la cartera.

—Son doscientos diez —respondió con aire despectivo.

Van In sólo tenía un billete de dos mil. Era el último dinero que le quedaba y prefería no tener que cambiarlo. Por eso rebuscó nervioso en el bolsillo del pantalón, pero como allí no había ninguna moneda esperándole, la dueña del bar tuvo que armarse de paciencia.

—Guido, ¿no tendrás por casualidad diez francos?

Versavel se puso alerta. Los problemas financieros

del comisario eran legendarios. No era la primera vez que tenía que echarle una mano.

—¡Déjalo, me toca pagar a mí! Todavía te debo una de ayer.

Van In no protestó cuando Versavel le pasó la bandeja con los capuchinos y sacó un billete de mil.

La pintarrajeada ave del Paraíso le devolvió el cambio y Versavel dejó intencionadamente dos monedas de veinte.

—Me ha costado sacar las fotos —dijo Leo señalando la cámara—. No esperes que sean de gran calidad. ¡Esos doctores piensan de verdad que una foto puede ser peligrosa para la salud de sus pacientes!

Leo aspiró el olor del capuchino y sorbió vorazmente el café hirviente a través de la nata fría.

—Me contentaré con un resultado razonable —le tranquilizó Van In—. Siempre y cuando las tengas antes de las siete.

—Ningún problema. Por ti, me encerraré gustoso en el cuarto oscuro un domingo por la noche. Te entregaré las fotos mañana por la mañana en mismísima persona.

—Lo siento, pero con las siete quiero decir en realidad las siete de la tarde. Quiero las copias hoy, Leo.

Versavel se concentró en su capuchino. Leo iba a embalarse y Van In exageraría aún más.

Una vez más, el brigadier se congratuló de ser un tipo madrugador.

—¿Y por qué no las seis de la tarde, comisario? —dijo Leo inclinándose amenazante por encima de la mesa; se había apoyado encima y sus pies se balanceaban diez centímetros por encima del suelo.

—¿O la próxima vez el señor se conformará con Polaroids?

—¡¿Seguro que no querrías que yo mismo hiciera un dibujo del alemán?! —replicó Van In indignado—. Mi talento para el dibujo no es que sea gran cosa pero seguro que lo haría más rápido.

—Guárdate tu carboncillo para el ministerio público —respondió Leo con desdén.

¡Qué cabrón! Van In se había quedado sin palabras. Leo se quedó desconcertado de su propia audacia y se puso a revolver vigorosamente el capuchino.

—¿Ya has visto esta foto? —preguntó Versavel en una loable tentativa de romper el incómodo silencio.

Se sacó un sobre marrón del bolsillo interior y depositó el contenido encima de la mesa. Cayeron un manojo de llaves, una cartera beige de cuero y la entrada de un museo. Versavel cogió la cartera y sacó una foto de color sepia.

—Esto estaba entre los efectos personales de Fiedle —dijo Van In—. En realidad no sé si deberíamos enseñar esta prueba a un empleadillo de la fiscalía...

—No empieces a dar la lata otra vez —refunfuñó Leo.

—¿Qué te parece esta foto? —insistió Versavel.

Leo levantó las cejas. El brigadier había despertado su interés profesional.

—¿Qué quieres que vea? —dijo al cabo de un rato.

—El brigadier Versavel quiere saber si hay algo en la foto que te asombre, un detalle, algo que no encaje, *quelque chose de suspect. Benson im Himmel!* ¡Estamos llevando a cabo una investigación, Leo!

—Veo una foto antigua de la *Virgen con el Niño* de Miguel Ángel.

—Mira con atención, amigo —se rio burlonamente Van In—. Y si te hace falta coge una lupa, pero haz un intento.

—La foto parece que tenga por lo menos cuarenta años —dijo indeciso—. Es de muy buena calidad. En cambio, la luz no me gusta.

—La luz no le gusta —se rio Van In—. ¿Has oído eso, Guido? ¡La luz no le gusta!

Un hombre con una infusión intravenosa sobre ruedas entró y fue a sentarse cerca de ellos.

—Mira otra vez, Leo, y olvídate de la luz.

Leo se introdujo un dedo en la oreja e hizo una mueca de indignación.

—El arbusto, Leo.

—¿Qué pasa con el arbusto?

—La escultura está en el exterior, Leo, al fondo se ven unas colinas.

—¿Y?

Examinó la foto de nuevo.

—Curioso... ¿Quieres que la analice?

Van In suspiró profundamente.

—Si no es pedir demasiado —dijo suspirando de nuevo.

—Eso me puede llevar algunos días, Pieter.

—El lunes será perfecto.

«Jaque mate», pensó Versavel.

A las cuatro y media, Leo hizo su entrada en la comisaría de policía. Tomó el ascensor para subir al tercer piso mientras silbaba, rebosante de alegría, los primeros compases del *Barbero de Sevilla*.

Van In estaba sentado en mangas de camisa fumando

como una chimenea. Había fotocopiado el pasaporte de Fiedle y la foto de la *Virgen con el Niño* en el hospital y había enviado un fax al *Bundeskriminalamt*. Estar esperando una respuesta le atacaba los nervios.

Versavel había puesto el termostato al máximo y había dejado una de las ventanas abatibles entreabierta. En el despacho 204 había tanto humo que hasta el resistente ficus pedía clemencia. A la amarillenta planta se le caía una hoja cada hora.

—¿Soy o no puntual? —vociferó Leo.

Posó en el vano de la puerta como un Apolo lleno de salud. Bajo el brazo sujetaba un grueso sobre. Como nadie contestaba a su pregunta retórica, entró dando brincos.

—Cierra la puerta, Leo —dijo Van In sin levantar la vista.

—Perdón, comisario. No sabía que eras alérgico a un poco de oxígeno.

Leo se sentó junto a la ventana y le entregó el sobre a Versavel.

—*Herr* Fiedle no es que haya salido muy favorecido, pero se le puede reconocer bastante bien bajo el gorro.

Versavel examinó la ampliación y la comparó con la foto del pasaporte del alemán.

—¿Estás seguro de que hablamos de la misma persona?

—La foto del pasaporte es de hace más de treinta años —dijo Leo con aire inocente.

—Dame esas fotos.

Van In tiró un cigarrillo medio consumido y reclamó el sobre con un gesto autoritario. Versavel le lanzó el sobre como si fuera un *frisbee* hacia el otro lado de la habitación.

Fiedle parecía un esqueleto viviente. La afilada nariz destacaba en el chupado semblante y las hirsutas cejas contrastaban intensamente con el gorro estéril blanco que le habían puesto para la operación.

—Tienes que tener en cuenta las circunstancias —dijo Van In con filosofía y blandiendo el fax que le había enviado Arents hacía media hora—. Fiedle tenía 2,8 gramos por mil de alcohol en sangre. No es extraño que parezca un zombie.

—Así estarías tú también después de seis Duvels —se mofó Leo—. Y eso que la foto de tu carnet es de hace sólo cinco años.

Versavel les dejó parlotear. Encendió su flamante procesador de textos y buscó el archivo Fiedle. El aparato centelleó sospechosamente y Versavel pensó otra vez con melancolía en su vieja Brother.

La vida nocturna de Brujas se limita a un puñado de bares y cafés de mala fama. Van In suponía que el alemán había ido a alguno de esos garitos antes de acabar en el suelo de la Blinde-Ezelstraat. Los 2,8 gramos por mil apuntaban en esa dirección, a no ser que Fiedle se hubiera emborrachado primero en la habitación del hotel y luego hubiera salido a dar un paseo nocturno.

Dos agentes estaban todavía controlando las fichas de los hoteles. Durante el fin de semana no se recogen y por eso tenían que verificar todas las listas de clientes en cada uno de los hoteles. Por el momento, todavía no habían podido localizar el lugar donde Fiedle se había alojado.

A las siete y cuarto, Versavel todavía estaba tecleando en su procesador de textos, y Van In y Vanmale decidieron salir a tomar el aire.

—Llámame si llegan noticias sobre los hoteles —gritó Van In animado antes de cerrar la puerta tras él.

Armados con las fotos, empezaron la ronda de bares en el Eiermarkt. La mayoría de los empresarios de los bares y los clubs conocían a Van In y colaboraban espontáneamente con él o al menos fingían hacerlo. Camareros y clientes habituales examinaron las fotos pero nadie reconoció al alemán. En casi cada bar se tomaban una Duvel. A la una y media se bebieron la sexta en el Vuurmolen, un garito de noche situado en la Kraanplein. El local estaba hasta los topes y la música hard rock hacía vibrar y destrozaba de forma lenta pero segura las membranas de los caros altavoces.

Leo pidió un sándwich doble y Van In se pasó al café.

—¡Que ya no tienes treinta años, eh! —se burló Leo entre dos mordiscos.

Van In se bebió a disgusto el amargo brebaje.

—Esa cara puso Cristo también cuando le acercaron una esponja con vinagre —se rio burlonamente Leo.

—Lo recuerdo muy bien —contestó fríamente Van In—. Tú estabas a mi izquierda y te moriste de sed.

—Muy espiritual, Pieter. Ahora vas a mentir tres veces antes de que cante el gallo.

Van In lanzó una ojeada a su reloj de pulsera.

—*Benson im Himmel!* Las dos y cuarto.

—¿Estás cansado?

—Claro que no —contestó con brusquedad Van In—. Acábate el plato. Te invito a un whisky con Cola en la Villa.

—¡Qué generosidad! —se rio burlonamente Leo—. Todos los polis de la ciudad saben que allí te dan tu medicina gratis.

—Grítalo a los cuatro vientos. Apuesto a que tú tampoco tienes que pagar por esa porción de comida de perro, si no no habrías pedido un sándwich doble.

Leo dio un buen mordisco y se encogió de hombros.

—Ahora mismo lo verás, cuando pagues la cuenta.

Aunque Van In parecía un vagabundo recién sacado del agua, el matón de la puerta de la Villa le dejó entrar con una sonrisa amigable. Una joven pareja de americanos, él llevaba unos caros Levis y ella un par de Nikes de 140 dólares, no podían creer lo que veían sus ojos. Jean-Luc, el portero, les acababa de cerrar la puerta en las narices.

En la Villa había mucho ambiente. Después de medianoche casi siempre estaba muy lleno de gente. En la pista de baile sensuales chicas se contoneaban bajo un láser. De lejos y con esta luz parecían irresistibles. Las minifaldas apenas las tapaban y bajo los apretados tops se movía ondulante la tierra prometida. La mayoría pasaban de los treinta y estaban separadas. Van In conocía ese tipo. Por un título rimbombante o un fajo de billetes, las tenías rendidas a tus pies.

—¡Hola, Mario!

Van In gritó y el barman leyó en sus labios. Levantó el pulgar y cogió automáticamente dos vasos largos. Doblándose hacia delante, le gritó algo al oído de un cuarentón con calvicie. El yupi agarró a su novia del brazo e inmediatamente quedaron dos taburetes libres.

Van In le guiñó un ojo a Mario en señal de agradecimiento y se dejó caer en el taburete. Estaba cansado. Tenía los tobillos hinchados y le temblaban las pantorrillas.

Mario fue generoso con el Glenfiddich. Sólo necesitó una botella de Coca-Cola para llenar los dos vasos hasta el borde.

—Hacía tiempo que no te veíamos por aquí, comisario —chilló—. Y tienes suerte. Véronique está aquí. ¿La llamo?

Van In sintió la mirada de desaprobación de Leo abrasándole la mejilla izquierda. No sólo le daban la bebida gratis, supo que estaba pensando Leo.

—Déjalo —dijo a gritos Van In—. Hoy no venimos para divertirnos.

A Mario se le puso la cara larga.

—Nada serio, ¿no?

Van In sacó la foto y se la mostró.

—¿Conoces a este hombre? —le preguntó mirándole directamente a los ojos.

Incluso la gente acostumbrada a mentir se delata con una mirada evasiva o dando una respuesta con demasiada rapidez.

—Un momentito —gritó Mario—. No..., pues, no... Primero he pensado... no. Lo siento, comisario, no lo conozco. Voy a preguntarle a Jacques, un minutito.

Mario salió pitando sin preocuparse del blandengue dandy que hacía ya más de dos minutos que intentaba pedir otro margarita.

—¡Bingo! —chilló Leo cuando vio desaparecer al barman.

—Nuestro amigo se está yendo por el lado equivocado. Jacques está allí —dijo, señalando una mesita junto a la pista de baile.

Van In apenas reaccionó. El whisky se estaba peleando con las Duvel. Se sentía mareado.

—Me sigue pareciendo curioso —vociferó Leo— que siempre acabes encontrando lo que buscas en la última dirección. Si escarbas en un montón de expedientes, el que buscas garantizado que está debajo de todo.

—Van In asintió con la cabeza. De tanto chillido le zumbaban los oídos y estaba intentando luchar contra la vaga neblina que le ofuscaba el cerebro. Efectivamente, ya no tenía treinta años.

—¿Crees que debería llamar a este fenómeno la ley Vanmaele? —gritó Leo.

Van In sacudió afirmativamente la cabeza otra vez. La relación entre las dos últimas frases de Leo se le escapaba.

Tras unos cinco minutos, Mario regresó en compañía de Patrick, al que llamaban el Gigoló. En los cuarenta, flaco y bronceado. Era el gerente de la Villa desde hacía más de seis años y se la sabía muy larga. En el ambiente de los garitos de noche y los clubs privados, se podían encontrar dos tipos de polis: los que hacían su trabajo y los que dejaban que les untaran. Van In era la excepción que confirma la regla. El comisario no era un tipo que se dejara etiquetar. El Gigoló se puso en guardia.

—*Bonsoir*, Pieter.

Le tendió jovialmente la mano. En su muñeca colgaba una fortuna en cadenas de oro.

Van In se dio unos golpecitos con el dedo en el oído. El Gigoló le entendió inmediatamente.

—Vamos a mi despacho. Hablaremos con más tranquilidad.

Leo vio cómo el Gigoló hacía una señal con la cabeza, las palabras no las había entendido. Se introdujeron con dificultad entre el remolino de gente aturdida que seguía el ritmo de la recalcitrante música.

Van In conocía el camino. Había estado allí muchas veces.

La acolchada puerta amortiguaba noventa decibelios. Leo apenas podía creer lo que veían sus ojos: el despacho estaba decorado como si fuera un templo griego, con columnas corintias y sensuales divanes. El mármol blanco producía reflejos azulados con la luz indirecta de una decena de bombillas halógenas. En un rincón murmuraba una fuente de mal gusto. Sus tres pilas en forma de concha estaban coronadas por una copia en yeso de la Venus de Milo.

—Dime, Pieter. ¿En qué os puedo ayudar?

El Gigoló se acomodó con desenvoltura en uno de los divanes. Van In siguió su ejemplo y Leo fue a sentarse como un gnomo a los pies del diván. Sus cortitas piernas no llegaban a rozar el suelo de mosaico.

—Busco a un hombre —dijo Van In con dificultad—. Se le trababa la lengua y el Gigoló sabía lo que eso significaba.

—¡Qué raro! —contestó frívolamente—. Habitualmente buscas a una mujer.

—Este hombre —dijo Van In, sacando las fotos del sobre y tendiéndoselas a Vanmaele. Leo no protestó e hizo silenciosamente de mensajero. Más le habría gustado darle un puñetazo al Gigoló.

—¿Por qué piensas que podría conocer a este viejo? —preguntó el Gigoló después de mirar atentamente un par de fotos.

—Es importante —le apremió Van In—. Créeme. Si

alguno de vosotros puede identificar a este hombre, te prometo que...

La frase quedó interrumpida por un ataque de tos áspera. Leo se puso en pie de un salto y ayudó a Van In a enderezarse. El comisario tenía un aspecto lastimoso.

—Te ayudaría con mucho gusto, amigo —dijo el Gigoló en tono compasivo—. Pero acabo de regresar de Jamaica. E incluso si hubiera estado aquí...

Van In se recuperó y fue a sentarse al borde del diván.

—*Benson im Himmel!* —jadeó—. No te pregunto si tú lo reconoces. Quiero interrogar a tu personal. Mario en todo caso dudaba y quizá Jacques pueda identificarle.

El Gigoló bebió un trago de su whisky como un americano pura sangre, vorazmente y sin saborearlo.

—Escucha, Pieter. Mi negocio está hasta los topes. Deja aquí las fotos y luego, cuando cerremos, haré que todos las examinen.

—Te lo agradezco, Patrick —dijo Van In, mirándole a través de sus párpados entrecerrados y con una mirada de bacante atontada.

Leo seguía la conversación cada vez más asombrado. No entendía por qué Van In se dejaba engatusar con tanta facilidad. De pura frustración, tomó un sorbo de su bebida. Sabía a jarabe para la tos diluido.

—¿Quedamos así, entonces, Pieter? —dijo el Gigoló jugando con un buceador pequeñito de oro que colgaba de una de las cadenas de su muñeca.

—Si hubiera estado aquí Véronique... —Dejó la frase sin terminar intencionadamente.

—¿No está aquí entonces?

—Esta noche no —mintió el Gigoló.

—¿Vendrá más tarde?

Van In alcanzó su vaso. Temblaba. Leo le dio un codazo en las costillas. Conocía a Van In desde hacía más de veinte años y le dolía ver a su amigo hacer el ridículo de esa manera.

—El miércoles estará —dijo remolón el Gigoló—. ¿Le digo que te espere?

Van In tuvo arcadas y se tumbó otra vez. Los ojos le daban vueltas como la luz de un faro. De repente hizo un movimiento espástico con la pierna izquierda.

—Creo que es mejor que nos vayamos, Pieter —dijo Leo levantándose y sacudiendo a Van In por el hombro.

El Gigoló asintió con la cabeza y se puso a su lado.

—Parece muy enfermo. ¿Quizás ha comido algo en mal estado?

—Mejor ayúdame —le espetó Leo—. Necesita aire. Aire fresco —añadió furioso.

Juntos le ayudaron a ponerse en pie, Van In les miró sorprendido y se dejó llevar dócilmente. La distancia hasta la puerta acolchada no parecía acortarse. Van In tenía la sensación de andar sobre una cinta mecánica. Sus piernas se movían como las patas de una araña somnolienta. Era como si su cabeza todavía reposara en la cama.

Leo y el Gigoló tardaron cinco minutos de reloj en abrirse camino entre la masa de gente apelotonada. En los últimos metros se acercó Jacques para ayudarles. El Gigoló desapareció inadvertidamente hacia el fondo del local.

—¡Hasta la vista, señores! —dijo el lívido camarero sin esforzarse en absoluto por esconder el tono de mofa de su voz.

—¿Te has vuelto completamente loco? —le chilló Leo cuando Van In se dejó caer en la nieve—. Te vas a morir de una pulmonía.

Van In cogió un puñado de nieve y se frotó con ella la cara.

—Al menos que sepas que no siento ninguna compasión por alguien que está como una cuba.

—Ese cana...lla —se estremeció Van In—. Ese canalla me ha echado algo en la bebida.

—Claro —dijo Vanmaele sarcásticamente—. Han puesto whisky en tu Coca-Cola.

Van In empezó a toser ásperamente otra vez. Se abrió el abrigo y la camisa y se echó nieve en el pecho, exactamente como un niño que se entierra en la arena de la playa.

—¿Le pasa algo, amigo?

Un señor de unos sesenta años, impecablemente vestido, observaba la escena con interés.

—¿Llamo a una ambulancia?

—Ocúpese de sus asuntos.

—Su amigo tiene muy mala cara... —le apremió el buen samaritano.

Leo Vanmaele era conocido por su carácter suave y su predilección por tomarse las cosas estoicamente, pero las Duvel consumidas demasiado deprisa despertaron su lado Míster Hyde.

—¿Ha tomado drogas o algo así? —preguntó el hombre preocupado—. Los tiempos han cambiado muy deprisa, ¿verdad? Tampoco parece tan joven. En la televisión sólo sacan a tipos jóvenes, pero no hay que creerse todo lo que la televisión...

—Buen hombre —dijo Leo llenándose los pulmones de aire—. Si se queda aquí diciendo gilipolleces llamo a mis colegas y hago que le detengan por alterar el orden público.

Se palpó el bolsillo y sacó una tarjeta de identificación.

—Policía.

Sonó bastante amenazador.

El locuaz samaritano echó una rápida ojeada a la tarjeta y salió pitando.

Leo Vanmaele se rio. Por error, le había mostrado su tarjeta de cliente de los almacenes de ropa Superconfex.

4

A la mañana siguiente Van In llamó a la oficina para avisar de que estaba enfermo. Tenía la lengua hinchada, los párpados le pesaban como si tuviera una carretada de cemento encima, le dolía al tragar y por la garganta le subía y bajaba una bola de carne cruda. Ni siquiera una ducha de más de un cuarto de hora pudo atenuar el dolor que sentía en los huesos. Las articulaciones le crujían como bisagras secas y le costaba respirar, como si hubiera dormido toda la noche con un bloque de plomo en el pecho.

Van In hundió el dedo en el lugar más sensible, justo debajo del esternón. Casi se vuelve loco de dolor.

El espejo le devolvió la imagen de un espantajo decrépito. Todavía veía borroso, lo que afortunadamente le impidió ver las masas de grasa que le hinchaban la piel.

La primera taza de café le supo a gasóleo diluido y el obligado cigarrillo que se fumaba siempre con el brebaje le produjo un acceso de tos seca.

—Este día ya no puede empeorar —dijo carraspeando.

Vio el sobre cayendo por el buzón y fue a buscarlo a la velocidad de un balón casi completamente deshinchado. El logotipo del Investbank no presagiaba nada bueno. Se sirvió una segunda taza de café. La bebida caliente deshizo la mitad de la bola de carne que se le había acumulado en la garganta.

—Vaya, pues parece que no es cáncer —dijo con voz apagada.

Mientras abría descuidadamente el correo del banco, encendió otro cigarrillo. El mes pasado, su hoja de impuestos le había tenido dos días enfermo, ¿qué sorpresa le habría preparado ahora el banco?

—*Benson im Himmel!* —suspiró—. Esto es el golpe de gracia.

Cuando Van In se enervaba, hacía diez cosas a la vez. Entró en la cocina con la carta en la mano, desenchufó la cafetera y examinó el cuello de la camisa que estaba tirada de cualquier modo en la mesa. La cafeína le estimuló los intestinos. Tuvo que apresurarse al lavabo y leyó otra vez la famosa carta.

«Esto no va a quedar así —pensó sublevado—. Voy a enseñarles a esos chupatintas de qué madera está hecho Van In.» El cuello de la camisa estaba mugriento, pero de todos modos se la puso. Las otras estaban arrugadas apestando en la cesta de la ropa sucia. Se echó loción Denim para después del afeitado para disimular el olor a axilas. Su mejor traje le quedaba estrecho, pero al menos se veía pulcro.

La oficina central del Investbank quedaba a cinco minutos andando del Vette Vispoort. Van In tenía escalofríos. Se negó a ponerse el abrigo de invierno y maldecía con el traje de verano de algodón.

Por suerte salió el sol, con lo cual se sintió unos diez grados menos ridículo. No obstante dio expresamente un rodeo para evitar la Sint-Jacobstraat llena de gente.

El Investbank ocupaba desde hacía tres años una casa gremial restaurada. La fachada delantera era preciosa. En cambio, el interior había sido adaptado por un consorcio de carísimos arquitectos a las necesidades funcionales de un banco moderno y tenía el aspecto de un aerodinámico búnker en el que el empleado prototipo se sentía como en casa.

Las puertas automáticas dejaron entrar dócilmente a Van In.

El calor seco del aire acondicionado de última generación le atenazó el cuello; ésa era una eficaz táctica de los bancos para aturdir a los clientes nada más entrar.

Cuatro de las seis ventanillas estaban cerradas. Van In podía escoger entre un aficionado al triatlón con calvicie y una estudiante de económicas a la que acababan de catear.

Ambos empleados tenían algo en común: no se habían dignado ni a mirarle. Van In optó por la chica.

—¿Puedo hablar con el señor Lonneville, por favor? Me llamo Van In, comisario adjunto Pieter van In.

La chica llevaba una casta blusa de gruesa lanilla bajo la cual Van In adivinaba un Wonderbra.

—Lo siento, señor Van In, pero el señor Lonneville está ocupado en este momento. ¿Tenía una cita con él?

—No. Se trata de un problema personal. Le agradecería mucho si informara al señor Lonneville de que Pieter van In desea hablarle.

Trató de que su voz sonara seca y amenazadora.

«Geertrui Vaes» es lo que estaba escrito en la placa carente de imaginación que llevaba en el pecho; dejó su bolígrafo y examinó a Van In como un inspector sanitario frente a una carcasa de carne sospechosa.

—Es muy urgente, señorita Vaes. Conozco al señor Lonneville desde hace años —mintió muy persuasivamente.

Ella esbozó una sonrisa profesional y se tocó un pendiente. Era evidente que dudaba.

—Un momento, señor Van In.

Se levantó contra su voluntad y se dirigió hacia la puerta del fondo. Lo que la casta blusa permitía suponer se correspondía perfectamente con la imagen que Van In se había formado de ella. Geertrui Vaes llevaba un pantalón de color gris sucio de pernera estrecha y bandas elásticas que pasaban por debajo de los pies. Tener la silueta de un contrabajo no le impedía desfilar como si fuera Naomi Campbell.

Van In se enderezó la corbata y se miró en el cristal reflectante que aislaba las ventanillas del mundo exterior. El aficionado al triatlón bostezó descaradamente y a falta de clientes se limpió los cristales de sus caras gafas.

—El señor Lonneville le recibirá inmediatamente —dijo la señorita Vaes—. ¿Quiere seguirme, por favor, señor?

Apretó un botón que descorría el cerrojo de la puerta. Cuando Van In la empujó, la luz de control se puso otra vez roja. Con aspecto contrariado, ella tocó de nuevo el botón. Van In se deslizó dentro como un ladrón justo antes de que la puerta de seguridad se cerrara automáticamente tras él. Geertrui Vaes le condujo hacia una salita de espera y le señaló una silla.

—Siéntese aquí, señor Van In. El director le recibirá enseguida.

La sala de espera olía a un conocido producto de limpieza y sobre la mesita había algunos ejemplares manoseados del *Financieel Ekonomische Tijd*. Ése era evidentemente el cuchitril de los morosos. Van In estaba convencido de que en la habitación de al lado se servía coñac con galletitas de chocolate.

Lonneville le dejó en salmuera veinte minutos. A lo lejos el carillón tocó las diez y cuarto.

Súbitamente, se abrió la puerta. Una rubia de aspecto altanero le indicó por señas que era su turno y le condujo hasta el despacho de Humbert Lonneville. El director tenía un gusto exquisito. Las piernas de la rubia eran casi tan bonitas como las de Hannelore.

—Buenos días, señor Van In. Siéntese. ¿En qué puedo ayudarle? —preguntó Lonneville con una voz falsamente amigable.

Van In se sentó en una cara y confortable butaca. Lonneville le sonrió afablemente. Tenía cuarenta y cinco años, era astuto y completamente impersonal. Los bancos son muy aficionados a los autómatas aerodinámicos y las secretarias rubias son parte integrante de esa estrategia.

—Diga, señor Van In.

—¿Le molesta si fumo?

Lonneville miró horrorizado el techo acabado de pintar.

—A decir verdad, preferiría que no lo hiciera, señor Van In. A no ser que realmente insista.

Van In asintió con la cabeza. Había hecho un saque equivocado. Había empezado con mal pie.

—Imagino que está usted al corriente de mi expediente.

Lonneville cruzó las manos y las colocó con un gesto dramático en el escritorio.

—Humm, me temo que no, señor Van In.

«¡Buitre! Sabes requetebién por qué estoy aquí», pensó Van In. A la gente que se encuentra en una posición de poder le encanta jugar al ratón y el gato. Es la propia víctima quien tiene que destapar sus miserias. Era policía, conocía esa táctica.

—Llevo cinco meses de retraso en el pago de la hipoteca y esta mañana he recibido esta carta.

Lonneville cogió la carta y le echó una rápida ojeada.

—Cinco meses —dijo indiferente—. Para un hombre de su posición eso no debería ser ningún problema.

Aparentemente, se refería al espléndido salario que se embolsa cada mes un comisario adjunto.

—Sin embargo, no puedo pagar esa cantidad. Necesito más tiempo.

Lonneville suspiró como un maestro de escuela que se da cuenta de que su mejor alumno ha contestado mal la mitad de las preguntas.

—Humm, señor Van In. Evidentemente, eso no simplifica el problema. Me parece que el contenido de la carta es muy claro.

—Necesito más tiempo —repitió tozudo Van In—. O un crédito puente.

—¿Más tiempo, comisario? Cinco meses es más de lo que un banco puede permitirse. Normalmente a los tres meses ya ponemos una demanda.

—Por eso quiero un crédito puente, un préstamo o una segunda hipoteca. Me importa un rábano siempre y cuando dejen ustedes mi casa en paz.

Lonneville puso cara de ofendido. El color rojo de sus mejillas reflejaba perfectamente la situación financiera del comisario.

Van In se pegó un susto cuando en la habitación contigua una impresora empezó a zumbar. La puerta estaba abierta y vio pasar a un hombre flaco con un pesado expediente bajo el brazo.

—Entonces, necesita más tiempo. ¿Tiene algún plazo pensado? —preguntó Lonneville con sarcasmo—. ¿Conoce a alguien que le pueda avalar? ¿Algún familiar? ¿Amigos?

Lonneville hizo rodar su butaca hacia atrás y apoyó la nuca contra el reposacabezas de cuero. Según Desmond Morris, una actitud que manifiesta claramente la voluntad de distanciarse de una conversación que se puede considerar carente de sentido.

—Tengo un vínculo sentimental con la casa. Mi problema es temporal. ¡Estoy seguro de que lo comprenderá!

—Sí, claro, le entiendo mejor de lo que cree, señor Van In. Pero un banco no es una institución benéfica. Sin un aval adicional, desgraciadamente, no puedo concedérselo.

Van In se alisó nervioso el pelo. Tenía un nudo en la garganta.

—¡Me gusta mi casa, joder! —dijo con voz ronca—. Dentro de un año habré solucionado mis problemas, y además ya he pagado el 75 por ciento de la hipoteca. No comprendo por qué no puede concederme un préstamo.

—¡Un año de aplazamiento! —dijo como en un relincho Lonneville—. ¿No lo dice en serio, verdad? Le doy hasta el 1 de marzo, comisario.

Seguro que ya tenía esa fecha en la cabeza antes de que Van In hubiera puesto un pie en su oficina. A Lonneville le gustaba darle a la gente la impresión de que se compadecía de ellos. Un aplazamiento de dos semanas era verdaderamente ridículo.

—¿Y qué pasa si no pago?

Lonneville le dirigió una mirada glacial.

—En ese caso, esa casa que usted tanto aprecia saldrá en subasta pública. Además, me he enterado de que es un edificio precioso —añadió con maldad—. Me imagino que no faltará gente deseosa de comprarlo.

La rabia contenida le daba vueltas en la cabeza como el remolino de una bañera vaciándose. Van In le habría retorcido con gusto una pierna a esa rata de banco hipócrita.

—Ya basta, señor Lonneville.

Se levantó, dio un paso hacia delante y colocó las dos manos en el borde del escritorio de Lonneville. El director del banco hundió más la cabeza en su butaca.

—Comisario Van In... —protestó atemorizado.

—Quiero preguntarle una cosa más, Lonneville.

El director buscó en vano el botón de alarma. Al no encontrarlo, se le dibujó una sonrisa mezquina en la cara.

—¿No será usted descendiente de Scrooge?

—¿Scrooge? —repitió el director sin entender.

—¡Déjelo! —le espetó Van In—. Cuando se trabaja en un banco es suficiente con saber contar. Leer, por lo visto, no debe figurar en el programa.

—Comisario... —dijo Lonneville ofendido.

—¡Que tenga un buen día! —musitó Van In.

Echó la cabeza hacia atrás y anduvo con paso solemne y digno hacia la puerta.

—Y antes de que lo olvide —dijo con el pomo en la mano—. Si toca mi casa, le mato.

Lonneville contuvo el aliento. Su súbita palidez habría puesto celoso a un camaleón.

—Pero esto es una amenaza de muerte con todas las de la ley —dijo escandalizado.

—¡Nadie le impide poner una denuncia a la policía! Yo me ocuparé personalmente de prestarle toda la atención que merece.

La rubia se asustó cuando Van In cerró la puerta tras él.

—¡Ve a consolarlo! —dijo Van In maliciosamente—. ¿Para qué sirve si no una secretaria?

Van In caminó malhumorado por la Steenstraat. Hacendosos comerciantes habían retirado eficientemente la nieve. El ayuntamiento tampoco se había quedado atrás. Tras cada nevada echaban toneladas de sal sobre el pavimento. En Brujas, el «comercio» es sagrado. En cambio, a los campesinos que tiran algunos hectolitros de abono en sus tierras, les tratan de antiecologistas.

Van In consideró la posibilidad de dar media vuelta e ir andando hasta los juzgados. En algún lugar tenía que quitarse las penas y Hannelore sabría escucharle. ¿O no? Después de la última pelea, hacía ya un tiempo que no se habían vuelto a ver.

Se detuvo dubitativo a la altura de los almacenes C&A.

—*Benson im Himmel!* —murmuró—. ¿Qué clase de hombre soy? Lonneville me ha dado dos semanas. ¡Ya es hora de que resuelva yo mismo mis problemas!

Dos jóvenes *grunge* que pasaban por allí volvieron la cabeza hacia él.

—¿Alucinaciones, abuelo? —gritó cínicamente el más cochambroso.

Van In les miró despectivamente y les sacó la lengua. Los dos levantaron instantáneamente el dedo corazón. Era una cómica escena a la que ninguno de los escasos viandantes prestó atención. Van In sonrió y pensó en su propia juventud. *Hippie* o *grunge*, los rebeldes siempre eran mejor que una tropa de trepas sin cerebro. Pescó un cigarrillo del bolsillo de su pantalón y lo encendió ávidamente. Después de que le prohibieran fumar en el banco se le había olvidado que fumar al aire libre y hacer gestos vulgares a los inocentes burguesitos todavía estaba permitido.

La evacuación artificial de la nieve y unos débiles rayos de sol crearon una ficticia sensación de primavera. Unos cuantos mirones apasionados por los escaparates paseaban incluso sin abrigo por la calle comercial. «Prueba —pensó Van In— de que vivimos en el reino de las apariencias.» Van In sintió el frío atravesándole los huesos. Se levantó el cuello de la chaqueta y apresuró el paso, aun a pesar de que no tenía ningún objetivo preciso.

Justo antes de llegar a Zand recordó que oficialmente él estaba enfermo. La comisaría estaba muy cerca y si se aventuraba un poco más allá igual algún chivato loco por ascender se percataba de su presencia. Volver atrás hacia el Markt no tenía ningún sentido, así que entró en la primera de las terrazas cubiertas que vio. El calor de las estufas de gas le pilló desprevenido. En un rincón había una joven pareja con un bebé. El camarero les estaba sirviendo el biberón que había calentado para el pequeño. Los jóvenes padres solicitaron la carta e hicieron como si fueran a pedir algo. El camarero se escabulló.

Junto a la puerta, un señor bien vestido disfrutaba de una cerveza de abadía. Van In buscó un sitio lejos de la pareja con el pequeño hambriento.

—¿Qué va a ser? —le preguntó el camarero al límite de la insolencia.

A lo largo del día Van In bebió lo justo para no andar dando tumbos borracho por las calles de Brujas, pero lo bastante para atreverse a enfrentarse con Hannelore. Ésa era la única manera de luchar contra el complejo de inferioridad que llevaba en sus genes. Todos los demás métodos habían resultado infructuosos y hacía ya muchos años que había abandonado esta lucha. Para el mundo exterior, había conseguido esconder en gran parte su enfermiza vergüenza. Pero los íntimos sabían que Van In casi siempre rehuía enfrentarse a los problemas y prefería retirarse enfurruñado en un rincón. El planeado encuentro con Hannelore le parecía una atrevida iniciativa.

La esperó en el nuevo y carísimo edificio de los juzgados cerca del Kruispoort. Normalmente ella salía a las seis y media y ese día por suerte no alteró sus hábitos.

La joven apareció en el aparcamiento como una ninfa evanescente en una oscura selva virgen. Llevaba un ceñido vestido gris que le llegaba hasta los tobillos y un abrigo corto de piel con hombreras. La transparencia la ocasionaban un par de faros delanteros de un coche que le enfocaban despiadadamente la parte baja del vestido y acentuaban exageradamente el contorno de sus torneadas piernas.

—¡Hola, Pieter! ¡Hacía tiempo que no nos veíamos!

Van In fue a su encuentro y la besó púdicamente en la frente.

—¿Todo bien? —comentó tontamente Van In.

—No esperarías un sermón, ¿no? —se burló ella.

Van In no se atrevió a pasarle un brazo por los hombros.

—Me he tomado un día libre y he pensado que...

—Un día de baja, querrás decir.

Los ojos de Hannelore brillaban con picardía.

—Vale, un día de baja —añadió él de mala gana.

—He hablado con Guido por teléfono esta mañana —dijo ella inocentemente—. Él naturalmente no podía saber que tú te encontrabas lo suficientemente bien como para andar rondando por el aparcamiento de los juzgados.

Ella abrió la portezuela derecha de su Twingo y le dejó subir.

—¡Te debes de estar helando! —dijo preocupada.

Van In estaba azul por el frío. El fino traje de algodón le colgaba del cuerpo como una sábana congelada. Hannelore puso el motor en marcha y encendió la calefacción al máximo.

—En un par de minutos se habrá calentado.

—¿Todavía estás enfadada conmigo? —preguntó Van In tiritando.

—¡Claro que no, Pieter! De hecho estoy contenta de verte. Tengo un montón de cosas que contarte y como no podía encontrarte ni en la oficina ni en casa...

«¡Dios mío, qué pena daba!» Hannelore se volvió hacia él, le pasó el brazo por los hombros y le apretó sus fríos labios en la boca.

—Al menos esto es un beso de verdad —se rio maliciosamente ella cuando Van In, que apenas podía respirar porque tenía la nariz tapada, tuvo que interrumpir antes de tiempo el abrazo—. ¿Estás mejor?

Van In asintió con un gesto. En su cabeza sonaban todas las campanas del carillón. Hannelore verificó que el aire salía cada vez más caliente y apartó la capa de nieve derretida con el limpiaparabrisas central. Por el espejo retrovisor, vio al juez de instrucción Creytens andando a grandes zancadas en dirección al Twingo. El magistrado, famoso por su avaricia, cargaba una desconchada cartera.

—Eso él no lo haría nunca —dijo ella amargamente.

Van In no entendió ni jota y le lanzó una mirada interrogativa.

—Mira discretamente detrás de ti. ¿Le reconoces?

Van In vio cómo Creytens limpiaba el parabrisas de su desvencijado Mercedes con un rascador de plástico.

—Creytens, alias *el Roñoso* —observó despectivamente—. Un tipo más tacaño que su sombra. Claro que le conozco.

Hannelore estalló en una gran carcajada y Van In se sintió contento de que ella estuviera a su lado.

—¿Empiezas a descongelarte un poco?

—Estoy bien. Ya te pediré ayuda si esto se pone demasiado caliente.

Habitualmente, Hannelore ignoraba sus insinuaciones baratas, pero esta vez no pareció importarle. Incluso le recompensó con un beso.

—¿Te apetece un cigarrillo?

—Sí, con mucho gusto.

Su paquete hacía horas que estaba vacío.

—Entonces no estás enfadada —insistió él como un esposo mimado.

Hannelore tomó una calada del cigarrillo de Van In y puso con precisión el coche en primera.

—Estaba enfadada, Pieter van In, y lo sabes perfectamente. Estabas borracho como una cuba cuando entraste tambaleándote en casa de mis padres por Navidad.

El cigarrillo sabía amargo. En sueños había revivido infinitas veces la escena.

—Pero el enfado no dura tres meses —concedió Hannelore en tono de reproche.

—¡Once semanas! —la corrigió Van In.

Ella no se detuvo.

—Y probablemente también quieres oír que a mis padres les pareció lamentable que estuvieras tirado en el sofá roncando.

—¿De verdad roncaba?

—¡La casa temblaba! —exageró ella—. Mi padre puso la televisión a todo volumen y así y todo tuvo dificultades para seguir su serie favorita. En cambio a mi madre le pareciste simpático.

—¿En serio?

—Mi madre encuentra a casi todo el mundo simpático.

—Por favor, Hanne, no me fastidies.

—*Your wish is my command, sir.*

—¡Hanne!

—Estupendo. ¿Tienes planes para esta noche?

Van In le dio una furiosa calada al cigarrillo y sacudió la cabeza.

—Eso viene como anillo al dedo porque...

—Tienes mucho que contarme.

—¡Alabado sea el señor! ¡Van In se ha despertado!

En la Langestraat pasó rozando junto a dos ciclistas que ocupaban desfachatadamente la mitad de la calzada. Uno de los ciclistas levantó el puño airado.

—Supongo que no habrá nada comestible en tu castillo, Pieter van In.

Apenas llevaba quinientos francos en el bolsillo y la manera en que ella le miró no presagiaba nada bueno.

—Mira los pájaros en el cielo. Ellos no siembran y sin embargo...

—¿Qué te parece el griego de la Ezelstraat? —propuso ella, entusiasta—. ¡Y no te preocupes, esta noche pago yo! Si es que he entendido bien la alusión.

Van In enderezó su aterida espalda y cogió sin pedirlo otro cigarrillo.

—¿De acuerdo?

Adoraba a Hannelore, pero se negaba a capitular sin oponer resistencia. Un silencio glacial se instaló en el Twingo.

—Vale —dijo ella despreocupadamente—. Lo digo una vez más. *Ego te absolvo*. ¿O es que no crees en los sacerdotes femeninos?

Van In trató de reprimirse, pero cuando ella le dio un fuerte codazo, no pudo contener más la risa.

—Por fin —suspiró ella—. Pensaba que no lo conseguiría nunca.

—Con una condición —dijo él riéndose—. ¡Que luego tomemos una última copa en mi casa!

5

En el griego escogieron un plato delicioso: carne de cordero flambeado a la crema con una corona de verduras. Niko, el propietario del restaurante, les agasajó con una mesa junto a la chimenea. En la calle, se oían chirriar los neumáticos de las ruedas, por lo que Van In dedujo que había empezado a nevar otra vez. El ambiente era perfecto.

Degustaron la tierna carne asada y Hannelore pidió justo en el momento adecuado otra jarra de vino de la casa.

—Quiero hablarte del asesinato en la Blinde-Ezelstraat —dijo ella entre dos sorbos de vino.

—¿Asesinato?

Van In repartió los últimos cuatro trozos de carne en los dos platos. Hannelore devolvió inmediatamente uno de los trozos a la bandeja.

—¿Fiedle ha estirado la pata?

—Esta mañana ha sucumbido a sus heridas. El fiscal le ha encargado el caso al juez de instrucción Creytens, pero cuando me enteré de que tú estabas ocupándote de la investigación sentí curiosidad. Ésa es, por cierto, la razón de que hoy tratara de localizarte.

—Cuidado, que las penas por sobornar a un funcionario de la policía son muy duras —le hizo la puñeta van In—. Pero por una ración de baklava te lo chivo todo.

—Si yo estuviera en tu lugar, no me alegraría, Pieter van In. El fiscal estaba furioso esta mañana cuando tú parecías estar ilocalizable. Ha transferido instantáneamente la investigación a la policía judicial.

—*Tant mieux!* Es lógico. ¡Le estaré eternamente agradecido!

—No lo entiendes bien, Pieter. No es muy común que tengáis que resolver un caso de asesinato y tú, impasible, dices: *tant mieux.*

—El alemán todavía no estaba muerto cuando nosotros empezamos la investigación y ¿quién dice que le hayan asesinado? El hombre estaba borracho como una cuba. Nevaba, las calles estaban heladas. Quizá sencillamente resbaló —respondió Van In indiferente—. Además, yo ya tengo bastantes preocupaciones en la cabeza.

—Ya estamos otra vez. Olvídate de tu complejo de inferioridad.

Van In no hizo caso del sarcasmo y le hincó el diente al último trozo de carne.

—Según dicen, han nombrado a un tal comisario Croos jefe del equipo de investigación —siguió Hannelore con indiferencia.

La maniobra surtió efecto. Van In casi se atraganta.

—¡¿Wilfried Croos?!

—¿Lo conoces?

—Ya lo creo.

Van In reaccionó como una niñita a la que le hubiera picado una avispa.

—Todo el mundo conoce al comisario más subnormal del hemisferio occidental.

—Humm, yo no le llamaría subnormal —dijo seria Hannelore, ocultando la cara tras una copa de vino llena—. Chulo y engreído, quizá, pero subnormal...

—Entonces encuentras a ese pavo atractivo —dijo resoplando Van In—. ¿Sabes cómo le llamamos? Croos, el rey del camelo. No deja en paz ni a su suegra.

Hannelore trató de no reír.

—Te conozco al dedillo, Pieter van In. Dejemos estos disparates y hablemos seriamente.

Van In se rio como un niñito que ha visto al cartero saltando al revés encima de su bici.

—Va, pide el baklava —dijo ella provocativa—. Y cuéntame las grandes noticias. El fiscal insiste en que se haga una investigación a fondo. *Herr* Fiedle parece ser un importante hombre de negocios.

—¡Ya estamos otra vez! —despotricó Van In—. Ese cabeza cuadrada tiene trato preferente. Me pregunto si el señor fiscal se tomaría tantas molestias si Fiedle hubiera sido marroquí. Puedes informarle tranquilamente de que a Van In no le quita el sueño un alemán muerto.

—¡Pieter, compórtate! —dijo ella reprendiéndole.

Algunos comensales les miraron indignados. Niko, el griego, que entendía el holandés a la perfección, estaba detrás de la barra riéndose por lo bajo. Durante la Segunda Guerra Mundial, las SS habían secuestrado a su padre y le habían ejecutado a sangre fría. No le importaba un rábano lo que los clientes pensaran de los comentarios de Pieter.

—¿Sabías que el alemán más célebre era en realidad un austríaco? —continuó Van In intencionadamente en voz alta.

La pareja que estaba a su lado se rio a gusto, aunque

hacía un momento se habían mostrado tan ofuscados como el resto.

—¿Y sabes ese chiste de los dos alemanes que después de la guerra piden dos cócteles en una terraza de Londres?

La mitad del restaurante aguzó el oído.

—Como no querían llamar la atención, lo hicieron naturalmente en inglés. El camarero asintió y les preguntó muy serio: *Dry? Nein zwei*, respondieron los alemanes a coro.

Aunque Hannelore lo encontró muy bueno, hizo todo lo posible por no reír.

—Así no podemos mantener una conversación —dijo ella juiciosa.

—Por favor, Hanne, era una broma.

—Eso es lo que dices siempre, Pieter van In.

Niko les trajo una generosa porción de baklava.

—Invita la casa —sonrió.

Fiedle trabajaba para Kindermann, una de las agencias de viajes más grandes de Europa. Se alojaba en el hotel Duc de Bourgogne en la Huidenvettersplein. Croos ha hecho que registraran su suite y han encontrado varias fotos curiosas.

Hannelore se inclinó y sacó de su bolso un sobre grisáceo con el sello del ministerio de Justicia.

La *Virgen con el Niño* de Miguel Ángel, tenía ganas de decir él.

—¿Qué piensas de esto?

Hannelore esparció unas diez fotos encima de la mesa.

—Un alemán al que le gustan nuestros pólders. ¿Debo encontrarlo sospechoso?

Van In reconoció claramente la característica silueta de una granja de Flandes y las farolas de la autopista que une el puerto de Zeebrugge con el hinterland y divide por la mitad, como una serpiente de cascabel carbonizada, el paisaje protegido.

—¿Y? —preguntó ella con curiosidad.

Van In observó las fotos. Eran recientes y parecían totalmente inofensivas.

—Sinceramente, Hanne, no le veo ninguna relación. Desde mi punto de vista son puros souvenirs.

—¿Y ésta entonces?

Hannelore sacó de su bolso una foto en blanco y negro amarillenta.

—Ah, la *Virgen*. ¿También la has encontrado en su habitación del hotel?

—¡Sabes perfectamente de dónde sale esta foto! —dijo ella con desdén.

Van In engulló su baklava y Hannelore esperó pacientemente.

—Entonces Croos ha birlado todo el expediente.

—Por orden explícita de Creytens —musitó ella—. Por suerte, Leo hizo a escondidas un par de copias, porque Croos guarda el expediente como si le fuera la vida en ello. Y eso no me gusta nada.

—Interrúmpeme si digo una tontería, ¿te ha pedido acaso el fiscal que vigiles a Creytens?

Hannelore hurgó nerviosamente el paquete para sacar un cigarrillo. Faltó poco para que se ruborizara.

—Por supuesto tienes todo el derecho a callar —sonrió maliciosamente Van In cuando ella no contestó la pregunta—, pero como he dicho antes: es mejor para todos que la policía judicial se haga cargo del caso.

Hannelore volvió a llenar su copa y le hizo una seña

al camarero. No le gustaba nada embaucar a Van In.

—Un café y otra porción de baklava para el señor —dijo ella un poco disgustada. El griego sonrió y se apresuró a la cocina.

—Según parece hay algo raro en la vegetación que se ve al fondo.

—¿Ah, sí? —preguntó Van In inocentemente.

Hannelore volvió a coger la foto y sacudió compasivamente la cabeza.

—Me estás tomando el pelo, Pieter.

—Entonces, ¡deja de andar por las ramas!, Hannelore.

Ella tragó saliva. De vez en cuando Van In ganaba la partida.

—He almorzado con Leo —admitió ella—. Él ha estado también toda la mañana intentando localizarte. Me ha contado que tú le hiciste preguntas sobre el paisaje que se ve al fondo de la foto.

—Me parece evidente —dijo Van In resignado—. Supongo que la foto ya no aparece en el expediente oficial.

—Exacto —ella encontró por lo visto normal que él llegara espontáneamente a la conclusión acertada.

—Mientras tanto los especialistas han identificado el famoso arbusto.

—¡Qué rápido! —observó Van In con sarcasmo—. ¿Y cuál es el veredicto?

—No seas pueril, Pieter.

Van In le hizo una seña al camarero y pidió otra jarra de vino.

—Según ellos se trata de una fitolaca, también llamada bellasombra.

—Una planta muy sospechosa —se rio burlonamente Van In.

Hannelore se levantó de repente y le pinzó la nariz.

—¡Ah, eso duele, coño!

Los clientes del restaurante hoy podían considerar bien gastado su dinero. Niko puso la música de buzuki un poquito más alta.

—*Ego te absolvo* —gimió él mientras ella continuaba apretándole la nariz.

—¡Agradece que por suerte es la nariz! —musitó ella.

Hannelore le soltó y él se masajeó el apéndice maltratado.

—¡Reza sólo cien padrenuestros! —dijo ella con voz severa.

Ella le amenazó otra vez y él retrocedió instintivamente.

—Nunca más volveré a reírme de las bellasombras —prometió él, medio serio—. Cuéntame. Te escucho.

Hannelore cogió el tenedor y comió golosamente del dulce baklava.

—La bellasombra es una planta que sólo crece en el hemisferio sur —dijo ella inocentemente.

—Y la *Virgen con el Niño* de Miguel Ángel...

—Que yo sepa la imagen nunca ha estado en el hemisferio sur —dijo Hannelore con seguridad.

Van In se introdujo el último trozo de baklava en la boca.

—Entonces la pregunta es: ¿qué interés tiene Creytens para sustraer la foto y el expediente?

—Exacto. Sobre eso quería yo esta noche intercambiar algunos puntos de vista.

Van In arrugó el ceño e intentó pensar con más claridad, lo que después de un litro de vino de la casa no resultaba fácil.

—¿Qué sabemos de Creytens?

—Creytens está quemado —susurró Hannelore—. El fiscal ya hace un tiempo que sospecha de él.

En circunstancias normales los policías nunca cotilleaban sobre sus colegas.

—Y tú tienes que vigilarle.

Hannelore se mordió el labio inferior. Había jurado que guardaría por completo el secreto.

—No olvides que los jueces son intocables —dijo Van In—. Incluso si se pasan toda la vida dictando sentencias imbéciles, siguen siendo honestos ciudadanos que merecen nuestro respeto.

—No exageres, Pieter —suspiró ella.

—Vale, Creytens es un tipo antipático y corrupto, que manipula expedientes y oculta pruebas. ¿Qué quieres que haga yo?

—Admito que nosotros...

—*Benson im Himmel!* Incluso si pusiéramos un cargamento de porno infantil en su apartamento, no le pasaría nada —repuso Van In—. Un juez de instrucción es después de Dios la persona más poderosa de este planeta. Cuando dirige una investigación, puede tomar cualquier medida que considere oportuna.

—Tienes razón, Pieter. Es mejor que seamos realistas.

—Supongo que esta noche no quieres dormir en casa —tanteó él completamente de improviso. Cuando había bebido, se atrevía a preguntar cualquier cosa.

Hannelore cerró los ojos, pero no lo hizo por mojigatería.

—Si enciendes la chimenea y pones el *Carmina Burana*.

—Todavía tengo una botella de Cadre Noir en la nevera.

—¿Era ese vino espumoso que serviste en octubre con los camarones?

Van In cerró los ojos. La vio entrar en el dormitorio con las copas llenas hasta el borde y los humeantes camarones en el plato.

—¿Quién podría olvidar esa noche? —musitó él.

Van In se descalzó y buscó ansioso bajo la mesa la pantorrilla de la joven.

6

Al día siguiente, martes por la mañana, Van In se presentó en la comisaría a una hora muy avanzada. Parecía un campo de batalla. Los agentes corrían nerviosos por los pasillos como el diablo en una película a cámara rápida, pero todo eso le dejó completamente frío después de haber estado en el séptimo cielo toda la noche. Disfrazado de Dante había recorrido todos los círculos del Infierno y había que admitir que Hannelore era bastante mejor guía que Beatriz.

—¿Qué está pasando aquí? ¿Ha estallado la tercera guerra mundial? —le preguntó a un inspector que se cruzó en su camino.

El hombre le miró incrédulo y siguió su camino sacudiendo la cabeza.

—¡Buf! —suspiró Van In—. Sí que estamos sociables hoy.

—¡Buenos días, comisario!

Pieter volvió la cabeza. Habría reconocido la voz de Versavel entre mil.

—¡Guido, por fin una persona normal! ¿Qué diantres está pasando aquí?

Versavel se le acercó con pasos elásticos. Comparado

con los otros, él parecía particularmente relajado, una cualidad que Van In le envidiaba.

—Entonces, ¿de verdad no sabes nada?

—¿Qué debería saber? —preguntó Van In con cara inocente.

—¡Algún terrorista loco ha hecho explotar esta noche el monumento a Guido Gezelle!

—¡No, no puede ser!

—¡Palabra de honor, comisario!

—¿Y por qué no me ha avisado nadie?

Van In olvidaba que ayer él mismo había arrancado el enchufe del teléfono.

—Bleyaert ha enviado una patrulla a tu casa a las ocho. Había un problema con el teléfono, nos ha explicado.

—¡Disparates! —refunfuñó Van In—. Mejor dime quién dirige la investigación.

Versavel se alisó el bigote y señaló el reloj de pared.

—Desde las nueve, la diriges tú —dijo, alegrándose levemente del mal ajeno.

—*Benson im Himmel!*

—Entonces, ¿de verdad no sabes nada? —repitió Versavel.

—¿Qué quieres, que redacte una declaración por duplicado? —vituperó Van In.

Inmediatamente le supo mal haberlo dicho; Versavel no se lo merecía.

—Lo siento, Guido.

—Tus culpas serán perdonadas —dijo Versavel sonriendo imperturbable.

—En todo caso sabes cómo mantener a alguien completamente despierto —gruñó Van In mientras entraban en el despacho 204.

—No sólo tú —dijo Versavel—. Todo Brujas está movilizado. El comisario en jefe Carton ya ha hablado tres veces por teléfono con el alcalde y esta noche se ha convocado a la corporación local para una deliberación de urgencia.

—¿Ha habido muchos daños?

—Bueno, no tantos. Según Bleyaert, el monumento se ha derrumbado hacia atrás y se ha roto en tres trozos.

—¿Hay testigos?

—¿Tú qué crees?

—Perdona, ha sido una pregunta estúpida.

A Versavel le hubiera gustado decir que parara de pedir disculpas todo el rato, pero mantuvo la boca cerrada. Van In fue a sentarse a su escritorio y encendió un cigarrillo.

—¿Hay café?

Versavel hizo que no con la cabeza y se acercó al alféizar de la ventana. Con gestos rutinarios, echó cinco dosis en el filtro y llenó el depósito de la cafetera.

—¡Mi primer atentado de bomba! —dijo Van In con el tono de una madre haciéndole carantoñas a su bebé—. Nunca me habría imaginado que yo pudiera vivir esta experiencia.

—*Tiens.*

Versavel se sentó con los brazos cruzados en el borde del alféizar de la ventana.

—¿Por qué has dicho *tiens*?

Miró interrogativamente al brigadier.

—¿Y 1967, entonces?

—Entonces yo todavía iba a la escuela, Guido.

Van In pensó con añoranza en los dorados años sesenta y la deliciosa época de desenfrenada libertad.

—Pero ya vivías en Brujas, ¿no?

—*Benson im Himmel!* Te refieres al atentado con bomba en los juzgados, en el Burg.

—Exacto —dijo Versavel afirmando con la cabeza.

Fue hacia su escritorio y cogió dos tazas y un tupperware con terrones de azúcar del primer cajón de su escritorio.

—Todos los cristales de las ventanas se hicieron añicos y nunca pudieron arrestar a los autores. A pesar de todo, el ministerio fiscal interrogó a la mitad de la provincia. La prensa dijo que era un escándalo, y eso que en esa época todavía no era habitual.

—Ahora, un policía aparece en las portadas de los periódicos si se atreve a pedirle los papeles a un inmigrante —se rio burlonamente Van In.

Versavel tiró con cuidado el poso de café en la papelera y llenó las tazas.

—No empieces, por favor, a dar la tabarra con los inmigrantes, comisario. Aún vamos a leer que la policía tiene indicios de que los fundamentalistas islámicos han puesto una bomba en el monumento a Gezelle por un poema que salió de su pluma hace cien años.

—¿A quién si no van a echarle la culpa? —preguntó Van In sin inmutarse—. Ya no hay comunistas, y los negros se matan entre sí solitos.

—Y los parados seguro que son demasiado perezosos para fabricar una bomba —resopló Versavel.

—Entonces, ¿quién queda?

—¡Los empresarios!

Versavel le alcanzó una taza a Van In.

—¿Un terrón?

—Dos, Guido. Ya sabes que me preocupo por mi línea.

Versavel hizo caso omiso del tonto comentario de Van In y le pasó toda la caja de azucarillos.

—Según Carton, el alcalde está sobre todo preocupado por las repercusiones de este atentado.

—Quieres decir que tiene muchísimo miedo de que no vengan más turistas.

—Todo el mundo sabe que a los comerciantes no les van muy bien los negocios. Nadie puede permitirse además una mala temporada —le apaciguó Versavel.

—Los que tienen un negocio propio se quejan siempre. Si su volumen de negocio baja un cinco por ciento, ponen el grito en el cielo. Te apuesto a que la semana que viene venderán estatuas de Guido Gezelle partidas en tres trozos.

—El alcalde Moens tiene evidentemente otra opinión —reaccionó secamente Versavel—. No olvides que en cierto modo debe su puesto a los pequeños empresarios.

—¿Te ha contado todo esto Carton? —preguntó Van In divertido.

Versavel tomó flemático un pequeño sorbo de su café. Estaba acostumbrado desde hacía años al sarcasmo del comisario.

—En todo caso, Moens quiere una investigación discreta —dijo con firmeza.

—Incluso si en la costa de Zeebrugge se hubiera avistado un voraz tiburón blanco él querría echar tierra al asunto —se burló Van In.

Oficialmente, los políticos hablan por el momento de un incidente.

Versavel se acarició el bigote. Van In siempre le seguiría llevando la contraria, pensó Versavel.

—¿Ha reivindicado alguien el atentado?

—Por ahora, no.

—¡Tanto mejor! —suspiró Van In. Estiró las piernas, anduvo hasta el alféizar de la ventana y se sirvió una segunda taza de café.

—No, si aún dirán que lo han hecho los estudiantes —Van In gimoteó y puso una voz lloriqueante—. Mamá, he suspendido el examen de literatura y he puesto una bomba bajo el monumento a Gezelle.

—También pueden haber sido vándalos —dijo Versavel.

—Vándalos, por mis co... —renegó Van In.

—Ésa es la hipótesis de trabajo de la policía judicial.

—*Dixit* Croos, seguro —se encolerizó Van In—. ¿No tienen ya suficiente trabajo con ese cabeza cuadrada muerto?

—El atentado con bomba es para nosotros, comisario. Moens quiere a toda costa que nos ocupemos nosotros del caso.

—Ah, bueno.

El comentario pareció calmar a Van In. Versavel se acercó a la ventana e hizo disimuladamente un par de abdominales.

—¿Has estado ya en el lugar de los hechos?

Versavel se dio la vuelta y contestó negativamente.

El servicio antiexplosivos acaba de llegar. Espero que pronto tengamos más detalles.

—Me pregunto por qué habrán escogido precisamente el monumento a Gezelle —dijo Van In de repente—. Si yo pudiera poner una bomba a un monumento, escogería otro.

—¿La *Virgen con el Niño* de Miguel Ángel? —respondió espontáneamente Versavel.

Van In se quedó paralizado. La foto de la Virgen con la bellasombra al fondo le perseguía desde la noche anterior.

—¡Joder! ¿Por qué no habré caído antes? Dos esculturas en dos días. No puede ser casualidad.

—El azar no existe, comisario.

—¡Exacto! Ya es hora de que asomemos la nariz en el lugar de los hechos.

Van In sorbió ruidosamente todo el café de su taza, dio unas enérgicas zancadas hacia el perchero y se puso el abrigo.

—Estoy listo —dijo impaciente.

Mientras bajaban la escalera, Versavel no pudo evitar tomarle un poco el pelo a su jefe.

—¿Qué, sois otra vez uña y carne con la guapa Hannelore?

Van In le fulminó con la mirada.

—¿A no ser que esta noche hayas tenido visita de tu tía de Oostende?

Van In se detuvo y levantó amenazador el dedo índice.

—Casualmente sé que el jueves vas a ir a un espectáculo de los Chippendales —dijo afable—. Y un pajarito me ha chivado dónde guardas la entrada. Yo en tu lugar, Versavelito, tendría cuidado con mis palabras.

—Perdón, comisario. Si hubiera sabido que querías acompañarme, habría comprado dos entradas.

—¡Qué gracia! —dijo Van In arisco.

—¡A sus órdenes, comisario!

Dos jóvenes agentes que subían la escalera hicieron como si no hubieran oído la conversación.

—¿Ése es Van In? —preguntó el más joven cuando hubieron desaparecido de su vista.

—Creo que sí —cuchicheó el otro.

—¿Es verdad que es un poco...?

El más joven se puso el dedo índice en la sien.

—Eso se dice —respondió el otro esquivo.

—¿Y Versavel? —preguntó haciendo otro significativo gesto con la mano.

—Ah, eso, sin duda —afirmó drástico el mayor.

7

La imponente escultura de bronce de Guido Gezelle estaba en el suelo en un estado deplorable. El trozo más grande había ido a caer encima de un desafortunado Mazda aparcado. El japonés de hojalata había sufrido un choque cultural. El techo del vehículo apenas se distinguía entre las cuatro ruedas.

—¡Pobre Guido!

—¿Cómo?

—Tú no, Versavel, mira al pobrecito allí en el suelo. Nuestro poeta más importante ha quedado hecho pedazos.

—No hace falta que seas tan exagerado —resopló Versavel—. Siempre existirán iconoclastas, pero las obras de Gezelle no perecerán.

—Bravo, brigadier. ¡Aleluya!

—En todo caso soy respetuoso —se enfadó Versavel—, yo admiro muchísimo a ese hombre.

—Sí, me lo imagino.

—En esa época, los curas todavía tenían sus sentimientos —dijo Versavel altivo—. Hoy en día no le pararían bolas.

—Bolas es una palabra adecuada —comentó Van In.

Versavel se quedó de pie ofendido y se llenó los pulmones del aire invernal, antes de declamar el poema con cálida voz de barítono.

Yo he pasado y saboreado mucho
muchas horas a su lado
sin que nunca ni una hora con usted
la más mínima pena me haya causado.
Yo he cogido y ofrecido mucho
muchas flores para usted
y siempre, cual abeja,
con usted, con usted
en su corazón he bebido la miel.

Van In no pudo negar que los lentos y suaves sonidos del flamenco occidental le conmovieron.

—No sabía que fueras tan fanático de Gezelle —dijo con franca admiración.

Versavel levantó la mirada hacia el cielo plomizo. La nieve ejercía en él un extraño influjo, pensó con melancolía.

—Gezelle era un monumento —reflexionó—. Y ahora el monumento está hecho pedazos.

La policía había cerrado herméticamente la plaza de Guido Gezelle. Y aunque estaban a mediados de febrero, los turistas se apretujaban como espectadores privilegiados tras las vallas de contención.

—Los mosquitos por lo menos se pierden de vista en invierno —gruñó Van In cuando se abrieron camino por entre la tenaz y parlanchina multitud.

Por suerte, uno de los agentes que estaba dentro de la

zona vallada les vio. Se puso firme para saludarles y luego apartó una valla para que pudieran pasar.

Leo Vanmaele trotó con sus cortas piernas hacia ellos.

—¡Siempre son los mismos los que tienen que trabajar! —dijo alegremente.

El pequeño experto del ministerio fiscal estaba casi siempre de buen humor.

—¡El dueño del Schrijverke sirve café con coñac gratis! —dijo con ojos achispados.

Van In miró a su alrededor. Todo el mundo parecía muy atareado. No vio ninguna razón para no aceptar la oferta.

—Cuéntanos mientras tanto lo que sepas —dijo alegre—. Aquí sólo cogeremos frío.

En treinta segundos estaban los tres sentados en la acogedora sala del bar.

—¿El coñac gratis no le interesa a nadie más? —preguntó Van In desconfiado al no distinguir a ningún oficial en el café.

—No pensarás que voy a dar una información tan valiosa a troche y moche —se rio por lo bajo Leo Vanmaele—. Si los hombres del servicio antiexplosivos se enteran, se van a acabar todo el coñac del establecimiento, ¿verdad, Ronald?

El dueño del bar, un tipo nervudo de unos cuarenta años, le dio amigablemente unos golpecitos en el hombro a Leo.

—Ya conoces a Leo, ¿no? Se pitorrea de todo el mundo.

Su voz resonó por todo el café. Ronald pasaba sus horas de asueto en un gimnasio adyacente al bar. Su voz armonizaba perfectamente con el volumen de su caja torácica.

—Ya lo creo que lo conocemos —confirmó Van In.

Vanmaele las estaba pasando negras.

—¡Bueno, bueno, Van In! —dijo apaciguadoramente Leo—. Que no cunda el pánico, Pieter.

—Para mí sólo café —le gritó Versavel al atlético dueño del bar.

—¿Con un pequeño dulce?

Ronald se quedó esperando, pero ni siquiera Leo se rio de la insinuación sin gracia.

—¡Que sea un capuchino! —reaccionó deportivamente Versavel.

Fueron a sentarse a una mesa junto a la ventana. A los hombres del servicio antiexplosivos les faltaba mucho todavía para acabar. En épocas de paz, al ejército no le toca nunca apresurarse.

¿Quería Ronald compensarles por algo o era siempre tan generoso? El magnífico coñac casi se derramaba de las copas y el capuchino olía a café italiano de verdad.

—El Semtex está de moda —dijo Leo—. El teniente Grammens del servicio antiexplosivos está completamente de acuerdo conmigo respecto a la naturaleza del explosivo.

Leo casi se quema la lengua con el café hirviendo.

—¿Un trabajo de profesionales?

—Es posible —respondió Leo con cautela.

Intentó calmarse el escozor de la dolorida lengua con un sorbo de coñac, lo que naturalmente no era muy razonable.

—¿Un vaso de agua? —preguntó Van In cuando se dio cuenta de la mueca de dolor.

—¿O una Duvel? —dijo con desdén Versavel.

Fuera habían llegado una grúa y un camión remolque. Seis operarios municipales deliberaban acerca de cómo iban a hacer el trabajo. El capataz del equipo miró con envidia por la ventana del Schrijverke, pero Ronald le ignoró conscientemente.

—Según el teniente Grammens la intención no era destruir el monumento. El autor del atentado puso el explosivo en un rollo largo entre el pedestal y el basamento.

—Así pues, trabajo de un profesional —concluyó Versavel.

—O de alguien que no sabe absolutamente nada de explosivos —sugirió Leo.

—¿Cuánto pesa la escultura?

—Ni idea —respondió Leo.

—Dicho de otro modo, si el coche no hubiera estado allí, el monumento hubiera quedado hecho añicos —dijo Van In—. Por consiguiente, la cuestión de si el autor quería destruir la escultura o sólo volcarla hacia atrás me parece irrelevante.

—¿Se ha averiguado algo con la investigación a pie de calle?

—Todo el mundo en los alrededores oyó la deflagración —respondió Versavel, que se había informado de los avances en la investigación antes de salir de la comisaría.

—Cuatro brigadas están interrogando a los residentes en la zona en un radio de quinientos metros, pero por ahora sin demasiados resultados. En cuanto a testigos oculares, no ha aparecido ninguno, evidentemente.

—¡Los milagros son muy raros! —suspiró Van In.

—El autor del atentado calculó con mucho esmero el momento de la explosión —siguió Versavel tranquilamente—. A las tres de la madrugada hay tanta gente por la calle en Brujas como en la cima del Everest.

—Brujas la Muerta —dijo dramáticamente Leo—. Anteayer alguien liquidó a un alemán y hoy un chalado hace volar por los aires a Gezelle. Quién ha dicho que nunca pasa nada en Brujas.

—¿Ha hecho Croos algún progreso en el caso Fiedle? —preguntó Van In de repente.

—Eso deberías saberlo tú mejor que yo —se rio Leo.

Tanto Van In como Versavel miraron perplejos al rechoncho experto del juzgado.

—¿No te cuchicheó algo al oído anoche Hannelore? —dijo Leo con inocencia aparentemente sincera.

—¿Tú también te metes, Leo?

—Pero es que ella me llamó anoche —protestó Vanmaele—. Quería hablar contigo a toda costa, por eso pensé que...

Versavel escondió la nariz en la taza medio vacía y sus hombros se sacudieron por la risa contenida. Van In se ruborizó y Leo los miró a ambos sorprendido.

—El brigadier Versavel acaba de perder su entrada para ir a los Chippendales —gruñó Van In.

—Lo siento, Pieter, pero me temo que no os sigo.

—Déjalo —dijo agitado Van In—. Ignora a Versavel. Si luego entran en masa los del proceso verbal, otro gallo le cantará.

—¡*Chanson d'amouuuur*..., comisario!

—Yo sólo he preguntado si Hannelore había comentado contigo algo del caso Fiedle —dijo Leo sacudiendo la cabeza.

—No, Leo. Nos fuimos pronto a dormir.

Vanmaele removía obstinado con la cucharilla en un centímetro y medio de café.

—Timperman me ha prometido que mañana tendremos el resultado de la autopsia —dijo para hacerse perdonar—. Pensaba que estabas al corriente.

Van In se tomó un considerable sorbo de coñac.

—Apenas hablamos del trabajo —dijo evasivamente.

—Ese Fiedle parece que era bastante importante —dijo Leo tratando desesperadamente de neutralizar el enojo—. Según el comisario Croos es, o mejor dicho era, uno de los capitostes de Kindermann, ya sabes, la agencia esa de viajes que siente un gran aprecio por el contenido de tu cartera.

—Eso ya lo sabíamos —dijo Van In abatido.

Vanmaele dejó de remover con la cucharilla y se bebió el resto del café.

—Según los entendidos, Kindermann controla el 45 por ciento del sector turístico en Europa.

—Por suerte, a mí no me van los viajes organizados —dijo Van In malhumorado.

—La última vez que estuve de vacaciones en Lanzarote corría el rumor de que Kindermann había comprado casi toda la isla adyacente a Fuerteventura —dijo Versavel.

—¡No me sorprendería! —dijo Van In—. Es típico de los alemanes. Os recuerdo que hace cincuenta años pactaron con el diablo para aumentar su terreno de juego.

—¡No nos desviemos del tema! —dijo Leo desesperado, agitando las manos como el papa en el balcón de la plaza de San Pedro, consciente de que si Van In empezaba a desvariar sobre los alemanes, por la noche todavía estarían allí.

—El caso ha causado cierta conmoción en Alemania, la ZDF le dedicó un espacio de tres minutos en el noticiario de ayer.

—Creytens se lo hará en los pantalones —se burló Van In—. ¡Mejor, eso le irá bien!

Mientras escupía la hiel sobre el juez de instrucción, a Van In le pasó como un relámpago una imagen por la cabeza. Justo antes de que pudiera concentrarse en ella, un agudo crujido de metal les sobresaltó. A pesar de sus esfuerzos, la imagen se volatilizó como un sueño al despertarse.

Una pesada grúa estaba izando cuidadosamente el trozo más grande: la cabeza y el torso del poeta. El Mazda aplastado chirriaba como una locomotora de vapor descarrilada. La grúa se acercó rápidamente y arrastró la carga.

Los seis operarios, obviamente funcionarios, porque de otro modo no habrían sido tantos, seguían el armatoste con resignado interés.

Otros cuatro peones municipales se habían aposentado en el contenedor del camión. Eran los encargados de soltar las cadenas.

—¿Cuándo me enviarás tu informe, Leo? —preguntó Van In cuando el monumento, o lo que quedaba de él, estaba finalmente seguro en el camión.

—¿Sobre la bomba?

—¿Qué dices?

Van In estaba otra vez pensando en la Luna.

—¿Quieres un informe sobre la bomba o un comentario sobre mis constataciones?

—¿Qué constataciones?

—¿Sobre la bomba entonces? —dijo Leo suspirando.

—Pues claro, imbécil.

—Eso dependerá en gran medida del servicio antiexplosivos —replicó Leo—. El teniente Grammens me ha dicho que los análisis les podrían llevar algunos días.

—Eso es una duración muy variable, Leo. Sobre todo cuando estás tratando con militares.

—Dos días, Pieter —respondió el bajito experto judicial—. Dame dos días.

—¡De acuerdo!, dos días, de otro modo...

—Una caja de cerveza Duvel, seguro —dijo Leo riendo.

—¡Dos! —exigió Van In flemático.

Leo Vanmaele aceptó sin rechistar. La semana pasada había ganado él una de esas apuestas. Le parecía legítimo concederle una victoria a Van In de vez en cuando. Y de todos modos no estaba todavía nada claro que fuera a perder. Grammens era un tipo concienzudo. Con un poco de suerte, los militares recibirían todo el papeleo en dos días.

—¡Perfecto! —dijo rebosante de alegría Van In.

Este intermedio le hizo olvidar por unos momentos la amenaza que pesaba sobre su casa.

—Me temo que aquí ya no podemos hacer mucho más —dijo, comprendiendo que Ronald no tenía la intención de ofrecerles una segunda ronda.

—Guido, ¿podrías reunir mientras tanto los procesos verbales de la investigación a pie de calle? Así podría ultimar la primera fase de la investigación.

Versavel se acabó su capuchino y se limpió una imaginaria línea de nata del bigote.

—*La vida es un estandarte de guerra* —dijo en tono plañidero— */ desgarrada, manchada, casi en el abandono / que se lleva valerosamente al frente / tanto los buenos como los malos días.*

—¡Corto y fuera, brigadier! Guarda tus expansiones

poéticas para tu nuevo procesador de textos. Pasaré esta tarde para ver por dónde vas.

—¡A sus órdenes, comisario!

Versavel se puso firme de un salto y saludó. Ronald miró fijamente a los dos policías con una mezcla de sorpresa e incredulidad.

El homosexual, sin embargo, no había bebido nada. «Y mira que tener que pagar impuestos para esto», pensó.

Leo se encogió de hombros. Se sabía de memoria esa pequeña actuación. Ya era hora de que renovaran su repertorio.

Van In permaneció todavía unos diez minutos dando vueltas por la plaza Guido Gezelle, como si quisiera darles la impresión a los mirones de que la policía se estaba tomando el caso muy en serio. Dejó que el penetrante frío glacial se le metiera en lo más profundo de las entrañas y disfrutó del dolor.

Van In estaba harto, de la rutina y de sus giros kafkianos. ¿Y si lo dejaba todo? Era tentador... Y todavía sería mejor si se iba después de cometer una verdadera metedura de pata.

Los hombres, cuando llegan a la edad madura, se vuelven filósofos, reflexionó. No se podía negar que Hannelore lo había hecho lo mejor posible la pasada noche, pero la euforia fue corta y los recuerdos efímeros...

Se sentía viejo y agotado. Su vida era un caos. La investigación que había llevado a cabo hacía siete meses, y que le había valido las felicitaciones de sus superiores, le parecía ahora completamente banal.

Su único consuelo era que ellos todavía eran más estúpidos que él y encima ni siquiera eran conscientes de ello.

Van In paseó lentamente a lo largo del Dyver bajo la hilera de árboles desmochados. El crujido de la nieve bajo las suelas de sus zapatos le sonaba familiar.

Aunque sabía que las puertas de la Villa no se abrían antes de las siete de la tarde, anduvo automáticamente en esa dirección. Cuando cruzó el Burg, comprendió súbitamente la estupidez que iba a cometer.

Van In apresuró el paso. La prestigiosa plaza estaba recubierta de un manto impecable. El aparcamiento privado de la corporación local estaba lleno de coches. Reconoció el ostentoso BMW de Decorte y el modesto Honda del alcalde Moens. La fachada blanca del ayuntamiento destacaba netamente contra el cielo gris, joya gótica rodeada de un halo amenazante. Una tormenta se cernía sobre Brujas y Van In sólo pensaba en esa flexible puta. En la plaza no se advertía ningún turista, lo que en cierto modo resultaba angustiante. El Burg sin gente parecía tan irreal como un concierto de música pop sin decibelios.

La Villa estaba herméticamente cerrada, como era de esperar. Era inútil llamar. Por eso Van In anduvo hacia la cabina de teléfono más cercana y marcó el número del club nocturno. La señal sonó más de dos minutos.

—¿Diga?, Villa Italiana —dijo una voz amortiguada.

Van In sonrió.

—Hola, Jacques.

Van In había reconocido el acento de Limburgo del

camarero más viejo, que aunque hacía más de quince años que vivía en el Flandes occidental, nunca había conseguido disimular.

—Soy el comisario Van In. ¿Está Véronique?

Hubo unos momentos de silencio. En circunstancias normales, Jacques habría mandado a paseo a su interlocutor.

—No, en este momento no está, comisario. Ha ido de compras.

—¿En Brujas?

Jacques reflexionó. No tenía ni idea de por dónde andaba ella.

—Eso supongo.

—Entonces volverá pronto.

—Véronique no tiene que trabajar hasta esta noche —dijo, con la esperanza de que eso sirviera para desanimar al comisario.

—Por cierto, ¿y qué haces tú ahí tan pronto, Jacques?

El camarero se puso tenso. El poli no se dejaba despachar tan fácilmente.

—Esta noche organizamos un concurso de karaoke erótico. Los técnicos están instalando el equipo de sonido.

—¡Eso será bien excitante! —comentó Van In con brusquedad.

—¿Por qué crees si no que nuestra Véronique va a venir a trabajar?

La palabra «nuestra» sonó muy posesiva. Van In no se rio y se hizo un doloroso silencio. Jacques tragó saliva.

—Entonces no tienes ningún inconveniente en que entre un momento.

—El espectáculo empieza a las ocho, comisario. Todo el mundo es bien recibido.

—Quiero decir ahora —insistió Van In—. Esta noche no la tengo libre y si Véronique tiene que trabajar, seguro que se presentará antes.

—El negocio está ahora cerrado, comisario. Comprende por favor mi situación.

—¡Vamos, vamos, Jacques! No lo conviertas en una cuestión moral. Estoy seguro de que Patrick no te recriminará este favor. Y por cierto, todavía me debe un favor.

El camarero estaba indeciso.

—*Benson im Himmel!* —Van In no estaba de humor para estar dándole coba más rato.

—Pues quedamos así —propuso autoritario—. Prepárame una bebida fuerte y ocúpate de que la puerta esté abierta. En dos minutos estoy ahí.

Jacques oyó un clic seco cuando Van In colgó el auricular. Se quedó mirando incrédulo el aparato y se rascó nervioso el oído.

—¡Mario! —gritó—. Un whisky sour para el comisario Van In.

El barman dejó su destornillador y fue obedientemente hacia la barra.

Van In llegó en dos minutos como había anunciado. Resoplaba como un fuelle reventado. Jacques le saludó con una sonrisa forzada y cerró concienzudamente la puerta tras él.

—Pueden pasar horas hasta que vuelva —dijo paciente.

—No importa. Esperaré.

Van In se dejó caer en un taburete y se bebió vorazmente el whisky sour. Jacques se quedó haciéndole compañía como una carabina.

Aparte de un menudo marroquí con un desgastado mono azul de trabajo, Van In no vio por allí a ningún técnico.

—Ya sabes que no me puedo tragar ese brebaje amargo, Jacques —se quejó Van In dejando el vaso casi vacío en la barra.

—Me habías pedido una bebida fuerte, comisario —dijo el camarero sin pestañear.

—Con una bebida fuerte quiero decir tres medidas de J&B y unas gotitas de Coca-Cola para darle color. Hazme un favor y llama a Mario.

Jacques no protestó. Ni siquiera se preguntó cómo podía el comisario saber que Mario estaba allí.

—¡Mario!

El marroquí estaba sentado a una mesita junto a la pista de baile y apenas alzaba la vista.

—¡Mario!

Jacques fue hasta el salón y gritó de nuevo. Ninguna respuesta.

—¡Hola, Mario! —dijo Van In sorprendido.

El pequeño barman cerró bufando la puerta de la bodega tras él y arrastró una caja de botellas de Coca-Cola.

—¡Tú también estás siempre en danza! —manifestó Van In.

Mario se enjugó algunas gotas de sudor de la frente. Había dormido cuatro horas y se sentía mal en su propia piel.

—Hay que ganarse el pan, ¿no, comisario? —dijo con su fuerte acento de Brujas.

—Por fin, yo desgañitándome y el señor en la bodega.

Jacques le estaba fulminando, pero al barman no parecía importarle un rábano.

—¿Un whisky con Cola, comisario?

—Sí —dijo Van In.

Mario conocía la receta. Él no había entendido en absoluto por qué el comisario había pedido un whisky sour.

—¿Todo bien?

—Estupendamente —dijo Van In, degustando el whisky con Cola.

—Esta mañana hemos resuelto el crimen del alemán. El asesino ya está desde hace unas horas entre rejas.

—¡Anda! Y luego dirán que la policía no trabaja —se rio Mario.

Jacques se puso pálido y trató desesperadamente de llamar la atención del barman.

—Eso sí que son buenas noticias, ¿eh? —dijo con su marcado acento.

—¡Gracias a vosotros! —dijo rebosante de alegría Van In.

—Eso me quita un peso de encima. El señor Patrick estará contento cuando lo sepa —dijo Mario aliviado.

A Jacques estaba a punto de darle un ataque al corazón.

—Vosotros no habéis tenido nada que ver —le tranquilizó Van In—. El alemán venía de su hotel cuando fue atacado.

—¡Qué bien que no viniera de aquí! —dijo Mario, mientras ponía la Coca-Cola en el refrigerador.

—Evidentemente estuvo en la Villa —probó suerte Van In—. Pero eso fue mucho más temprano.

—Entraron aquí alrededor de las once y diez —se fue de la lengua confiado Mario. Para un barman las once de la noche era efectivamente todavía temprano.

—¡Exacto! —dijo Van In—. Eso encaja perfectamente con las declaraciones de nuestros testigos.

—¿Y ese holandés ha acabado hablando? —preguntó ingenuamente Mario.

Van In tomó un largo sorbo de whisky y se sacó un cigarrillo del bolsillo.

—Secreto de sumario —dijo evasivamente Van In. Aprovechó el dramático silencio para encender su pitillo.

Mario cogió un trapo y se puso a secar los vasos.

Jacques sentía a un mismo tiempo frío y calor.

—¡Era un tipo raro! Primero pidió un cóctel y luego le tuve que servir un whisky con Cola. Y ahora que lo dices, ese holandés se fue justo detrás de los otros dos... —dijo con su fuerte acento.

Jacques volvió la cabeza. Todavía le quedaba un consuelo: en Brujas es fácil encontrar trabajo de camarero.

—Es precisamente el otro el que lo ha contado todo —se echó un farol Van In.

Habría sido mejor inventarse otra cosa porque incluso Mario encontró esa explicación demasiado vaga. En el fondo de su mente sonaba algún tipo de alarma.

—¡Ah, ese otro alemán! —dijo Mario con fingido asombro.

Miró a Jacques y se dio cuenta de que se había dejado atrapar por Van In.

—Pues hablaban en alemán —prosiguió torpemente—. Pero bueno, por aquí pasan tantos turistas...

Van In percibió que su presa estaba intentando liberarse.

—Holandeses, alemanes —suspiró Mario—. Al final, uno ya no nota la diferencia.

—Ese holandés, ¿era un cliente fijo? —preguntó Van In de pasada.

Mario estaba contento de que el comisario se interesara por el holandés. Por lo menos había conseguido disimular la identidad del señor Georges, y esto el Gigoló sabría apreciarlo.

—¿Tú lo conoces? —le preguntó Mario a Jacques, tratando de pasarle la patata caliente.

—No, en absoluto —respondió el exangüe camarero, enviando mentalmente al imbécil de su colega a la mierda.

—Hombre, no tenía pinta de ser muy despabilado —a falta de respuesta, tuvo que seguir hablando él—, cuando fue al lavabo, se dejó la tarjeta de crédito en la barra.

—Eso debe de pasar aquí muy a menudo —dijo Van In, con aire de no darle importancia.

—¡Ya lo puede decir, ya, comisario! No obstante. —dijo Mario observando un vaso contra la luz—, cuando encontramos una tarjeta lo denunciamos inmediatamente.

—Eso es verdad —admitió Van In—. En ese sentido la Villa tiene una reputación intachable.

Comprendiendo que la batalla estaba perdida, Jacques se retiró al salón.

—¡Una última pregunta, Mario!

Era arriesgado, pero a Van In le pareció que valía la pena correr el riesgo.

—¿No te fijaste por casualidad en su nombre?

Mario paró de abrillantar los vasos. Hizo funcionar su pequeño cerebro a toda velocidad.

—Un momento... —dijo rascándose la incipiente barba rasposa—, era un nombre holandés. Andriessen o algo así... ¡No! ¡Adriaansen! Eso es. ¡Adriaansen! ¡Ahora estoy seguro!

—Felicidades, Mario —dijo Van In exageradamente efusivo—. Debo admitir que el señor Patrick selecciona cuidadosamente a su personal. Eres la honra de tu patrón. ¡Vaya memoria, hombre!

—¡Qué quiere, comisario! Uno siempre se acuerda de los clientes pesados.

Mario se sonrojó. Cogió un vaso y empezó a abrillantarlo de nuevo concienzudamente.

—¿Otro whisky con Cola, comisario?

—Bueno, va, si insistes —dijo Van In satisfecho.

Van In se puso a maldecir cuando el busca que llevaba en el bolsillo del pantalón empezó a sonar. Mario reconoció el sonido y automáticamente le señaló un teléfono inalámbrico. Van In marcó el número de la comisaría.

—¿Oiga?, soy Van In.

—Un momento, transfiero la llamada.

La telefonista no había hecho ningún esfuerzo por disimular su alegría por el mal ajeno. Tras un par de compases de *La pequeña serenata nocturna*, le transfirieron la llamada y Van In reconoció el vozarrón profundo de Carton.

—Por el amor de Dios, ¿por dónde andas, tío?

La pregunta era puramente retórica, el comisario en jefe no esperaba por supuesto ninguna respuesta.

—Esta noche la corporación local se reúne para una sesión de emergencia y esperan un informe de la policía.

Van In se alejó el auricular de la oreja. Carton parecía particularmente excitado.

—Te agradecería que esta noche pudieras estar presente, Van In. ¡A fin de cuentas la investigación la diriges tú!

—Ningún problema, señor —respondió Van In, que sabía que Carton odiaba hablar en público—. Acabaré mi informe inmediatamente.

—La reunión será a las ocho en el ayuntamiento —dijo Carton—. Yo en tu lugar me iría a casa, tomaría una ducha y me pondría un traje decente.

—¿Con una corbata oscura o floreada, señor?

—¡Y bébete un litro de café! —añadió Carton malicioso—. El olor a alcohol de tu aliento llega hasta aquí.

—Haré inmediatamente todo lo necesario, señor.

Carton detestaba las reuniones tanto como Van In, pero debido a su rango disponía del privilegio de echar a sus subordinados a los leones.

Véronique tenía llave de la Villa. Entró cuando Van In estaba saboreando su último whisky con Cola. Llevaba en cada mano un par de bolsas con los logotipos de boutiques muy exclusivas. Tras su estela, un pálido treintañero cargaba el resto de las compras. Ella reconoció inmediatamente la redondeada silueta de Van In.

Él permaneció casi impasible cuando Véronique le pasó los fríos dedos por el pelo. Van In reconoció su perfume, una mezcla de almizcle y sándalo. Ella le puso la nariz en la oreja y Van In sintió instantáneamente que sus glándulas hormonales funcionaban a la perfección. Mario se retiró discretamente, dejándole vía libre a Véronique.

—*Quelle surprise, Pierrot!* —dijo en un arrullo.

Van In se dejó besar dócilmente. El remordimiento

llegaría mucho después. El joven tímido se apartó a un oscuro rincón. Véronique le lanzó una mirada juguetona.

—¡Ve mientras tanto a sacar las cosas de las bolsas, Xavier! Te veo luego.

El joven asintió servilmente y agarró todos los paquetes.

—¡Es tan majo! —se rio tontamente ella, antes de sentarse en el regazo de Van In. Tomó un pequeño sorbo del whisky con Cola. Sus puntiagudos senos se distinguían bajo el abrigo de piel.

—¡Hace más de dos semanas! —dijo ella haciendo pucheros.

—¡Diecisiete días! —precisó Van In, y éstas fueron las últimas palabras sensatas que salieron de sus labios.

Véronique le arrastró hasta el despacho del Gigoló. Cuando dejó que su abrigo de piel se deslizara por los hombros, Van In fue consciente de que por primera vez en su vida iba a firmar un cheque sin fondos.

8

La corporación local celebraba sus sesiones en la salita del ayuntamiento que estaba justo al lado del gabinete del alcalde. Al contrario de lo que en general se suele suponer, la sala gótica de la casa consistorial se utiliza sólo en ocasiones oficiales o para las bodas. La salita de reuniones resulta más acogedora y más fácil de calentar. El suelo de madera de roble amortigua las conversaciones y los tapices procuran un ambiente íntimo.

—¡La situación es extremadamente grave!

De esta estereotipada manera abrió el alcalde Moens la reunión. Hacía apenas seis semanas que ocupaba el cargo y estaba hasta la coronilla de esta inesperada crisis. Si cometía ahora alguna equivocación, la oposición le llevaría al matadero como si fuera un cordero. Ni siquiera podía contar con los socialistas, con quienes su partido formaba coalición. Tenían dieciocho años de experiencia en la gestión. Si daban un paso en falso, le echarían sin escrúpulos la culpa a su partido, el CVP. En las elecciones, fue de un pelo que los comerciantes no se escindieran. El mínimo desacuerdo con ese influyente segmento de la población podía desencadenar un terremoto político.

—El atentado con bomba al monumento de Guido Gezelle es obviamente obra de extremistas. Su objetivo es claro. Quieren golpear a Brujas en su actividad más dinámica: el turismo.

Moens tomó aliento y bebió un sorbo de agua. Los miembros de la comisión presentes en la sala apenas reaccionaron. Al igual que el alcalde, la mayoría eran nuevos en el cargo.

—Por eso he invitado a esta reunión al comisario en jefe Carton y al comisario adjunto Van In. Ellos nos ayudarán a tomar las medidas oportunas.

El regidor de finanzas, un viejo curtido, soltó un murmullo de desaprobación.

—Si alguien quiere hacer un comentario, le escucharé con mucho gusto —reaccionó secamente Moens.

Fernand Penninck se sacó las gafas y se frotó las aletas de la nariz. Moens era un compañero de partido y no era su intención ponerle palos en las ruedas en plena crisis. Por otro lado, como candidato de los comerciantes y de la clase media, Penninck habría podido ser igualmente alcalde. Se sentía moralmente obligado a manifestar su disgusto.

—Yo opino que nosotros mismos tenemos que definir las medidas que hay que tomar —dijo amablemente—. La policía está aquí para ejecutarlas. La época de De Kee ya ha pasado.

Se oyeron risas. Todo el mundo se acordaba del anterior comisario en jefe y de la manera en que se metía en política.

—Se trata de un consejo —se defendió Moens con torpeza.

Penninck era un abogado brillante. Si iniciaba una polémica, Moens estaba perdido.

—Estimados colegas —siguió Penninck—. Estoy de acuerdo con el alcalde siempre y cuando la policía se limite a aconsejarnos y seamos nosotros quienes tomemos las decisiones.

Moens soltó discretamente un suspiro de alivio. Penninck se mantenía leal. En una situación de crisis, el consenso era más importante que ventilar críticas a la ligera. Primó la unanimidad. Los demás regidores del CVP comprendieron la indicación y mantuvieron la boca cerrada.

—¡Tenemos que proteger el turismo cueste lo que cueste! —prosiguió Moens más seguro de sí mismo.

—¿No es un poco prematuro, Pierre? —preguntó Albert Cleynwerk; el regidor de Monumentos y Revitalización del Centro Urbano manifestaba abiertamente su escepticismo.

Este socialista encaraba su último mandato. No tenía ninguna razón para facilitarle el trabajo a Moens.

El alcalde permaneció impasible, pero, interiormente, su inseguridad bullía como un cazo de leche hirviendo.

—Nadie ha reivindicado el atentado y nada hace suponer que pueda haber otro —sugirió secamente Cleynwerk.

—Quizás alguien le tiene tirria a Guido Gezelle —intervino de repente en la discusión Marie-Jeanne Derycke.

La regidora del Registro Civil, peinada impecablemente, saboreó su intervención. Era la primera vez que abría la boca en una reunión. No obstante, nadie creyó oportuno darle una contestación.

—Creo que no nos debemos tomar este asunto demasiado a la ligera. ¡Los gamberros utilizan aerosoles, no bombas! Si se trata de extremistas, me parece evidente que intentan desestabilizar el sector turístico. ¿Qué otra opción tienen? No tenemos embajadas, ni aeropuerto ni problemas de inmigración. ¡Los monumentos son el talón de Aquiles de Brujas!

La corta apología del concejal Penninck levantó murmullos de aprobación.

—Tenemos que afrontar la realidad... a no ser que el colega Cleynwerk sepa más de lo que deja traslucir.

Funcionó. Cleynwerk se rascó su pelirroja barba y no dijo nada.

—En unos meses empezará la temporada turística —siguió Moens—. Espero que todo quede en este único incidente, pero si estamos tratando con extremistas probablemente en Semana Santa volverán a atacar.

—¿Cuándo cae Semana Santa este año?

Aunque la pregunta del regidor Dewilde era completamente irrelevante, Moens verificó la fecha.

—El 16 de abril —dijo cordialmente.

Moens no tenía ganas de ponerse a Dewilde en contra dándole una respuesta desdeñosa.

Dewilde, una especie de copia del hombrecillo de Michelin, sacó una agenda encuadernada en piel.

—Entonces, lo único que podemos hacer es ordenar que vigilen nuestros monumentos día y noche —dijo con aires de futuro hombre de estado.

Apenas tres meses atrás, Dewilde era aún profesor en una escuela técnica. Tenía un diploma en mecánica y debía su éxito en la política a su padre, un empresario con florecientes negocios.

—¿Eres consciente de lo grande que es el patrimonio de Brujas? —preguntó en tono hastiado Penninck.

—Simplemente hay que transmitir toda la información a la policía y asunto arreglado —soltó Cleynwerk—. ¡Cuando los ingleses juegan contra el Club de Brujas, no les supone ningún problema!

—O también podemos reclutar a un comité de vigilancia civil. Conozco a un montón de gente de Brujas que sin dudarlo colaboraría desinteresadamente —propuso con entusiasmo Marie-Jeanne Derycke. Tenía el aspecto de una tímida colegiala, toda una proeza para una mujer que pesaba más de noventa quilos.

Penninck suspiró ruidosamente, al contrario del alcalde, que se había contenido.

—¿Quizás encuentra mi propuesta ridícula, señor regidor de Finanzas? Me pregunto si habría reaccionado de la misma manera si la propuesta hubiera sido formulada por un colega masculino.

Evidentemente, le gustaban las polémicas.

Penninck hizo como si este acceso de feminismo no le afectara en absoluto. Sonrió como un faraón que se acababa de enterar de que el arquitecto encargado de construir su pirámide había fallecido.

Interpretando esta sonrisa como un reconocimiento, Marie-Jeanne Derycke cruzó envalentonada los brazos.

—Y si eso no es suficiente, siempre podemos llamar a los paracaidistas —propuso pérfidamente Suzanne Dewit, la regidora de Asuntos Sociales.

Las dos mujeres no se podían ver ni en pintura. Si Marie-Jeanne tenía cincuenta y cinco años, era huesuda y no brillaba particularmente por su inteligencia, Suzanne Dewit era una joven elegante de treinta y dos, licenciada en filología germánica. Sólo había conseguido 476 votos y debía su escaño exclusivamente al hecho de que los socialistas tenían que poner a toda costa a una mujer en los puestos relevantes si no querían perder su imagen de partido favorable a la igualdad de la mujer.

—¡Señoras, señores, por favor! ¡No nos tiremos los trastos a la cabeza! —intervino Moens.

Suzanne Dewit se rio arrogantemente entre dientes y Derycke encendió enfurruñada un cigarrillo. Lo hacía para molestar a Dewit porque sabía que no soportaba el humo de cigarrillo.

—¿Hasta dónde se ha llegado en la investigación? —preguntó Cleynwerk, que quería dirigir otra vez la conversación por derroteros más civilizados.

—Si no me equivoco, el alcalde ha invitado a los señores de la policía precisamente por esa cuestión —dijo secamente Marc Decorte; el regidor de Turismo había estado todo el tiempo jugando con el bolígrafo y lo dejó ahora en la mesa con un gesto dramático.

Cuando entraron, el comisario en jefe Carton y Van In encontraron a los ediles bajo un espeso humo grisáceo. Excepto Dewit, todos habían seguido el ejemplo de Derycke. Las arañas de cristal del techo estaban recubiertas de una capa marrón de nicotina, aunque la anterior administración también tenía su parte de responsabilidad.

Van In observó al grupo esperando que la comedia no durara mucho. Acostumbraba comparar a los políticos con los psicópatas: matan el tiempo sin ningún motivo.

A invitación del alcalde, Carton tomó asiento presidiendo la mesa. Van In se vio obligado a instalarse a su lado.

Cuando Moens se aclaró la garganta, cesó la cháchara.

—El comisario adjunto Van In, jefe de investigaciones especiales de la Policía de Brujas, nos informará ahora sobre la investigación que se está llevando a cabo en relación con el atentado de bomba.

Sonó repelente. Era típico de un político inexperto hablar tan enfáticamente para intentar no herir a nadie. Moens cruzó las manos sobre la barriga, miró por encima de las cabezas de los regidores del ayuntamiento y fue a sentarse como un lama tibetano que acabara de ganar la lotería.

Van In dejó flotar una mirada de resignación, que tuvo el efecto de crear un pesado silencio. Carton le despertó dando un rudo golpe bajo la mesa.

—Estimado señor alcalde, señoras y señores regidores —dijo de mala gana y sin darse cuenta de que él también hablaba con mucho énfasis—. El incidente de hoy tiene a toda la policía de Brujas movilizada. Aquí no estamos acostumbrados al terrorismo.

Todos escuchaban tensos. Van In no conseguía entender por qué si todavía no había dicho nada.

—Mañana voy a ponerme en contacto con los servicios de Seguridad del Estado y les pediré que nos proporcionen una lista de todas las organizaciones extremistas capaces de cometer un atentado como éste. Dentro de algunos días recibiré un informe del servicio antiexplosivos y mi ayudante coordinará la investigación a pie de calle.

—¡Ridículo! —estalló Cleynwerk—. No era necesario convocar a la policía para oír estas necedades.

—Señor Cleynwerk —intervino Moens con el ceño fruncido—, deje por lo menos que el comisario acabe de hablar.

Van In se lo agradeció sacudiendo con gesto amistoso la cabeza.

—En colaboración con los departamentos competentes hemos realizado un inventario de los principales monumentos. La gendarmería nos ha ofrecido su ayuda y el ejército nos enviará personal especializado. Su misión será efectuar, con tanta frecuencia como sea posible, controles en los monumentos y edificios susceptibles de ser utilizados como blanco.

—Hace unos momentos nuestro apreciado colega Penninck ha afirmado que Brujas cuenta con tantos monumentos importantes que es imposible para las fuerzas del orden organizar una vigilancia efectiva —dijo el regidor Dewilde.

Irritado, Penninck hacía girar su pluma Parker entre el pulgar y el índice. Moens no había considerado oportuno informarle de la estrategia de la policía. Ahora hacía el ridículo ante un estúpido como Dewilde.

—¡Estamos hablando de una selección limitada de monumentos! —salió Carton en ayuda del regidor de Finanzas.

El comisario en jefe había apoyado incondicionalmente la candidatura de Penninck. Ahora no podía hacer otra cosa que defenderle a capa y espada.

—Todos los edificios protegidos con un sistema de alarma electrónico no están en la lista. Éstos los controlará el ejército a las horas de cierre —dijo Carton tratando de que su argumentación sonara convincente.

Sabía muy bien que cualquier sistema de alarma puede ser saboteado, y además esos sistemas habían sido diseñados contra ladrones, no contra terroristas. Quien quisiera poner una bomba no tenía necesariamente que forzar la entrada.

—Eso nos permite descartar todos los museos, el ayuntamiento, el carillón y unas cuantas iglesias —prosiguió Carton.

—¿Qué queda entonces que valga la pena hacer volar por los aires? —se mofó Derycke, tirando una espesa nube de humo en dirección a Dewit—. Y si ponen un coche bomba en la plaza del mercado, os pasaréis años buscando —añadió sarcástica.

Benson im Himmel!, por qué a esa mujer se le habría ocurrido precisamente esa posibilidad, refunfuñó Van In en silencio. Ahora tendría que estar escuchando escenarios de catástrofes hasta las tantas. Claro que las fuerzas del orden estaban en una situación de impotencia, pero ésa era una verdad imposible de vender a los señores y señoras políticos...

Como ya se había temido Van In, la discusión degeneró en una verdadera bronca. Al final Moens propuso tomar una ginebra y cerveza Straffe Hendrik. La bebida, servida con mano generosa, hizo que los ediles salieran de la reunión antes de hora. A la una y cuarto se retiraron como un motor de gasolina con azúcar en el carburador. La situación era verdaderamente crítica, así que estuvieron de acuerdo con las medidas que el comisario había formulado y se rindieron al hecho de que por el momento no podían hacer mucho más.

Cuando todo el mundo estaba preparándose para marchar, Van In vio que el alcalde le decía algo al oído a Carton. El comisario en jefe se quedó rezagado y él se sintió obligado a seguir el ejemplo de su superior.

El conserje de la casa consistorial, un hombre discreto con un traje azul marino, esperaba obedientemente junto a la puerta. Hacía tintinear muy discretamente su manojo de llaves.

—Ve arriba, Antoine —le dijo Moens—, ya te llamaré cuando hayamos terminado. No tardaremos mucho —añadió de buen humor.

El empleado asintió con la cabeza con aire resignado y se fue arrastrando los pies. No iba a ir en realidad arriba. Su mujer hacía más de una hora que dormía y en la tele ya no había mucho que rascar. En cambio, en la cocina había una botella de Straffe Hendrik recién abierta.

El gabinete del alcalde está situado en la parte de atrás de la casa consistorial. Es amplio y consiste en un despacho y un salón anexo. Los visitantes disfrutan de una magnífica vista a un jardín de diseño clásico y al pequeño río Reie. Como el alcalde dispone de su propia barca con motor, hay incluso un embarcadero.

—Siéntense, señores —dijo formalmente Moens, y señaló un tresillo de terciopelo rojo. En el centro de la sala, un espléndido escritorio de refinada madera de nogal atraía todas las miradas.

—¿Coñac o whisky?

Moens no les ofreció cerveza porque si no habría tenido que molestar otra vez al conserje.

Carton prefirió coñac y Moens y Van In se decantaron por el whisky. Cuando los tres hubieron bebido educadamente un pequeño sorbo de sus vasos, Moens se acercó a su escritorio.

Van In percibió el sonido de un resorte que indicaba la presencia de un cajón secreto.

—Esta mañana he recibido en casa esta carta —dijo Moens desconcertado, y le entregó a Carton un sobre amarillo claro—. No quería que cundiera el pánico —añadió como disculpándose.

Tanto Carton como Van In eran conscientes de cuál era la verdadera razón. Moens desconfiaba de la mitad de sus regidores.

—Amenazan explícitamente con un nuevo atentado —dijo antes de que Carton se hubiera calado las gafas—. Y dicen que la próxima vez no esperemos un «petardo». Escriben en francés que Brujas va a temblar.

—Y también en francés dicen que los turistas harán bien en quedarse en casa este año... Que el fenómeno ya se ha producido en Turquía y en Egipto.

Moens tomó un largo sorbo de su whisky mientras Carton leía el contenido de la carta con medida lentitud.

—Además, amenazan con liquidarme si no colaboro —añadió Moens suspirando.

—Por el amor de Dios, ¡¿qué significa esto?! —reaccionó Van In incrédulo—. ¡Colaborar! ¡¿Colaborar en qué?!

—Eso no lo dicen.

Moens había empezado a andar de un lado a otro. Carton contemplaba la montura de sus gafas. Se preguntaba por qué el alcalde le había dejado leer la carta si él mismo le había revelado el contenido.

—Creo que por el momento no hace falta que nos preocupemos —dijo Van In con decisión.

Moens se quedó abruptamente parado y Carton se puso una mano en la frente.

—Quiero decir que usted no corre ningún peligro mientras no nos hagan saber sus exigencias —aclaró Van In cuando el alcalde le lanzó una mirada de incomprensión—. ¿La carta está firmada?

Carton se quitó las gafas y le tendió la hoja de papel.

—En general, los terroristas acostumbran a firmar sus reivindicaciones —dijo Van In después de leerla—. Y quizá yo estoy un poco pasado de moda pero una impresora láser no me parece que pueda formar parte del arsenal de un individuo que pone bombas.

Moens afirmó entusiasta con la cabeza. Era por tanto verdad que Van In poseía un fino olfato de sabueso.

—¿Y por qué escriben en francés?

Van In sostuvo la carta contra la luz y verificó la filigrana del papel.

—Esto o es obra de un loco o de una banda de valones que buscan bronca —dijo categóricamente.

El alcalde se sentó y bostezó con la boca abierta. Carton cruzó los brazos encima de la barriga y se recostó en el sillón.

—En todo caso, la filigrana es francesa.

Van In dobló la carta con mucho cuidado de no frotar el papel.

—¿Tiene por casualidad una bolsa de plástico?

Cogió el sobre cuidadosamente por una de las esquinas. Moens se enderezó de un brinco y buscó en los cajones de su escritorio.

—¿Va bien una bolsa de papel?

Por la publicidad de la bolsa supieron inmediatamente dónde compraba pescado el alcalde. Van In introdujo cuidadosamente la carta y el sobre en su interior.

—Mañana sabré si hay huellas que podamos aprovechar, siempre y cuando el señor alcalde no tenga ningún inconveniente en que se lo pase al laboratorio técnico de la policía judicial, claro.

—¿Puede asegurarme la indispensable discreción, comisario Van In? —preguntó Moens, inquieto.

—Leo Vanmaele es un buen amigo. Yo no dudaría en confiarle incluso mis cartas de amor —dijo Van In un poco informalmente.

Moens se sirvió otro whisky y se lo bebió de un trago.

«Está asustado», pensó Van In.

—De acuerdo, comisario, pero a condición de que no se filtre el contenido de la carta.

Moens se repetía innecesariamente. Van In tuvo la impresión de que temblaba.

—Y por cierto, ¿por qué piensa que pueden ser valones, comisario? —preguntó de repente Carton.

Al viejo zorro el instinto le decía que el comisario sabía más de lo que quería aparentar.

Van In encendió un cigarrillo con gesto seguro y sin pedir permiso, y dio una fuerte calada antes de responder.

—Todo el mundo sabe que la comunidad valona está en situación de alerta. La federalización les molesta. Tienen miedo de que los flamencos consigan la escisión de la seguridad social. Eso les costaría a ellos más de cien mil millones de francos, y sencillamente no tienen ese dinero. Bélgica es posiblemente el único país del mundo en el que los problemas étnicos todavía no han hecho que se vierta sangre, pero si los flamencos cierran el grifo del dinero y los valones empiezan a pasar hambre, parece evidente que algunos extremistas buscarán refugio en la violencia. La carta hace referencia explícita a Turquía y Egipto, donde los terroristas han intentado intimidar a los turistas. Brujas es la ciudad más visitada de Flandes y ¿por qué han escogido precisamente como primer objetivo a Gezelle?

—¡Jesús! —musitó Moens—. ¿Cree que...?

—Su análisis es tremendamente espeluznante, Van In —interrumpió Carton—. Pero debo admitir que es un escenario perfectamente plausible.

Van In saboreó el cumplido. Acababa de improvisar su bella teoría en unos segundos.

—Mañana tendremos más noticias del Departamento

de Seguridad del Estado. Si existe un movimiento antiflamenco, nos concentraremos en esta hipótesis.

—¡Una idea excelente, comisario! —dijo Moens con entusiasmo.

—Mientras tanto propongo que mantengamos al alcalde vigilado las veinticuatro horas del día.

—Perfecto, Van In.

—Entonces, queda todavía otra cuestión.

Carton y Moens estaban prendidos de sus labios como un par de niños que escucharan un cuento de enanitos.

—¿Es oportuno que impliquemos a los otros cuerpos policiales o nos decantamos por llevar el caso de manera independiente?

Carton se puso de todos los colores. Van In estaba jugando con fuego.

—Yo les he prometido a la policía judicial y a la gendarmería que trabajaríamos conjuntamente —reaccionó con prudencia el comisario en jefe.

—Claro que vamos a trabajar conjuntamente, pero si nosotros obtenemos un importante avance en la investigación, no estamos obligados a ponerles al corriente inmediatamente. ¿No sería mejor que la policía municipal resolviera el caso?

Este último argumento fue decisivo, porque, en su calidad de alcalde, Moens era también jefe de la policía municipal.

—¡Bien, Van In, se hará como dice! —dijo Moens resuelto—. Le doy una semana.

—Haré todo lo que esté en mi mano, señor alcalde.

Van In vació el vaso de un trago. Moens podía ser un político mediocre, pero en cuanto al whisky era todo un entendido.

9

Después de una reparadora noche de descanso, Van In apareció más de tres cuartos de hora tarde en la comisaría de la Hauwerstraat. Algo de lo que nadie se extrañó.

—¡Hola!, tienes un aspecto excelente —dijo Versavel, que justo acababa de copiar un proceso verbal.

Bajo una arrugada gabardina, el comisario llevaba un traje de rayas pasado de moda y una corbata chillona. En la cabeza, un ridículo sombrero blanco desafiaba las leyes de la gravedad. El brigadier le alargó la mano intentando permanecer serio.

—¿Puedo presentarte al agente secreto Van In?

Versavel se preguntó si lo decía en serio. Van In no esperó una respuesta. Giró sobre sí mismo y dejó que se le abriera la gabardina como un avezado maniquí.

—Señor, no nos dejes caer en la tentación... —suspiró Versavel. Se acarició el bigote y silbó entre dientes admirado. Van In dio instintivamente un paso atrás.

—Apártate de mí o hago que te pongan las esposas —le amenazó.

Uno de los jóvenes agentes con los que se habían cruzado el día anterior en la escalera se giró discretamente. Entonces era verdad que Van In estaba como una regadera.

—*This is showtime!* —sonrió Versavel, y le pasó un brazo por el hombro a su superior—. Pom, pom, pom, pompom, pom, pom, pom, pom...

Van In se dejó llevar dócilmente al ritmo del vals más conocido del mundo.

—¡Bailas jodidamente bien, comisario! —sonrió maliciosamente Versavel—. ¿Escribo mi informe siguiendo este ritmo?

—Déjalo, Guido. Van a pensar que somos un poco...

—Que tú eres un poco... —protestó Versavel—. Todo el mundo sabe que yo soy completamente normal.

Cuando Van In se dio cuenta de que el joven agente les miraba, dirigió una lánguida mirada a su amigo.

—*Your place or mine?* —preguntó con áspera voz de barítono.

Mientras tanto, junto al mirón se habían congregado un par de colegas.

—¡Estamos practicando para carnaval! —gritó Van In—. A partir de mañana clase de baile obligatoria para todos los que se quedan ahí plantados como gilipollas.

Las cabezas de los curiosos desaparecieron como por arte de magia. Van In se rio con ganas y Versavel le miró preocupado.

—Estás de muy buen humor hoy, comisario —dijo alisándose la camisa y verificando la posición de la corbata.

—Ayer tuve un día bastante bueno —se rio burlonamente Van In—. Una investigación no tiene por qué ser necesariamente aburrida.

Versavel carraspeó educadamente.

—¿Es que Véronique te propuso algo especial?

El tono era de desaprobación, y ésa era también la intención.

Van In se puso tenso. Sabía que el brigadier se dejaría echar al fuego por Hannelore.

—Ese saco de huesos te ha llamado hace media hora —dijo Versavel mordaz—. Ayer olvidó contarte algo.

No comprendía por qué el comisario bebía vino espumoso cuando en casa tenía champán.

—¿Tienes algo en el hígado, brigadier?

—¿Debería tener algo, comisario?

Van In abrió la puerta del despacho 204 con el hombro.

—La carne es débil, Guido. No hace falta que te lo diga precisamente a ti —refunfuñó—. ¿Hay café?

—He puesto una cafetera a las ocho —dijo Versavel consultando ostensiblemente su reloj de pulsera—. Le he dicho que hoy al mediodía nos pondríamos en contacto con ella —siguió el brigadier mientras servía café.

—¡Perfecto! ¡No olvides sobre todo la llave de su cinturón de castidad!

Versavel le alcanzó una taza de plástico y fue a sentarse a su escritorio reflexionando. Ya hacía algunas semanas que a Van In le pasaba algo. Le sobrevenían más depresiones que a la meteorología del norte de Europa. No era momento de cargar las tintas.

—¿Algo de especial en el ayuntamiento?

Van In alzó indiferente los hombros. Pensar en Véronique le excitaba. No podía evitar reaccionar ante esa mujer como un crío hambriento frente al rezumante pecho de su madre.

—Están a punto de declarar el estado de sitio —dijo con desprecio—. ¿La investigación a pie de calle ha dado algún resultado?

Versavel frunció los labios.

—¿Te leo el informe? —dijo en un tono que no presagiaba nada bueno.

—Déjalo. Todo el mundo oyó la explosión y se volvió a dormir cinco minutos después.

—¡¿Cómo lo has adivinado?! Los únicos que nos llamaron lo hicieron para poner denuncias por ruido nocturno.

—Claro —rio Van In—. Como si no tuviéramos otra cosa que hacer.

—¡¿Es que tenemos alguna otra cosa que hacer?! —bromeó Versavel—. Por ejemplo, Depuydt. Nos llama casi cada noche a las diez y cinco. El pobrecito vive al lado del Octopus, un piano bar en la Wollestraat.

Van In puso con cuidado la taza en el escritorio. Ya hacía más de veinticuatro horas que trataba de recuperar la fugitiva impresión que se le había ido de la cabeza en el Schrijverke y de repente le venía muy claramente a la memoria la imagen del hombre flaco que había visto desde el despacho de Lonneville.

—Ese hombre se vuelve loco con la música del piano, pero nosotros no podemos intervenir. De hecho, Depuydt lo ha intentado todo, ha pedido mediciones de audiometría al departamento de medio ambiente, ha enviado cartas airadas a la prensa y ha puesto una denuncia al juez de paz. Por lo que a mí se refiere, podrían cerrar de una vez ese tugurio. No pasan ni dos semanas sin que se constate un problema de intoxicación alimentaria. ¡Puaj! Prefiero ni pensarlo.

Van In le escuchaba a medias.

—¿Depuydt, dices? ¿Philippe Depuydt?

—Sí, ¿le conoces?

—Fui a clase con un Philippe Depuydt. ¿Tiene más o menos la misma edad que yo?

—Sí, creo que sí. Si quieres, busco su dirección.

—No te molestes, Guido. Tampoco es tan importante ahora mismo.

Versavel se acercó al alféizar de la ventana y se sirvió otro café.

—Por cierto, ¿ha llegado ya Carton? —preguntó Van In, alargándole su taza.

Versavel le sirvió café y azúcar, y se concedió unas gotitas de leche desnatada.

—Sabes tan bien como yo que Carton aguanta muy mal la bebida. Y no vas a hacerme creer que no bebisteis nada anoche —dijo Versavel riendo.

—O sea, que no está.

—Creo que no hace falta que le esperemos antes de las once.

—¡De acuerdo!

Van In tomó un sorbo de café caliente y encendió un cigarrillo. La cafeína y la nicotina le sentaban bien. Poco a poco se fue sintiendo otra vez él mismo.

—Te agradecería mucho que averiguaras algo para mí, Guido.

Versavel estaba sentado en el borde de su escritorio, con la espalda completamente recta, al contrario que la mayoría de sus colegas.

—Comprobar las fichas de hotel del fin de semana pasado, busco a un holandés.

Van In sacó su bloc de notas y leyó la descripción que le había dado Mario.

—Probablemente, un hombre de negocios, aproximadamente cuarenta y cinco años, alto, delgado, cabello gris y vestido a la moda. Se llama Adriaans o Adriaensen.

—¡Vale! —dijo Versavel—. Exactamente el tipo que estoy buscando.

—Y un alemán —siguió Van In imperturbable—. Sesenta y cinco, corpulento y calvo.

—¡Comprendido! —suspiró Versavel.

—Si quieres sentarte al sol, también tienes que aceptar la sombra —dijo Van In filosóficamente.

Versavel anotó los datos. Estaba contento de que Van In volviera a tomar las riendas.

—Esto evidentemente no tiene nada que ver con la explosión de la bomba —tanteó con cuidado.

—¡Lo has adivinado, Guido! Lo siguiente en cambio sí que tiene mucho que ver.

Versavel escuchó con el bolígrafo preparado. Encontraba especialmente intrigante que se mezclaran así dos casos.

—Quiero que el alcalde tenga vigilancia día y noche. Busca un par de hombres de confianza y que trabajen vestidos de civil.

Versavel puso una cara que habría puesto celoso a Till Eulenspiegel. Estaba más contento que unas Pascuas.

La Seguridad del Estado habría querido meter la nariz en todo, pero de hecho el departamento apenas tenía competencia judicial. Algunos políticos consideraban que el servicio de información era un organismo innecesario; para otros un mal imprescindible. La tarea fundamental del departamento de Seguridad del Estado es reunir información. Comprueban medio millón de expedientes de todas las personas que lleven a cabo actividades susceptibles de perjudicar al estado: desde el simple ciudadano que alguna vez ha estado en un mitin de un partido de extrema izquierda hasta los dirigentes de las Células Comunistas Combatientes, la Bende van

Nijvel y Action Directe. Extrañamente, los expedientes de la primera categoría tienen muchas más páginas que los otros...

Esto estaba pensando Van In mientras marcaba por tercera vez el número del servicio secreto belga. Las otras dos veces sonó el tono que indicaba que el teléfono estaba ocupado. Justo cuando estaba encendiendo un cigarrillo, una telefonista le respondió. Cuando se dio cuenta de que estaba hablando con un flamenco, se puso inmediatamente a hablar holandés con un fuerte acento.

Van In se presentó y no pudo dar crédito a sus oídos cuando la telefonista bilingüe le pasó enseguida la llamada al director Bostoen, uno de los mandarines de la Seguridad del Estado.

—Buenas tardes, señor. Soy el comisario adjunto Van In, jefe de investigaciones especiales de la Policía de Brujas —dijo Van In—. Le llamo en relación al reciente atentado con bomba.

Le hizo un pequeño resumen de los acontecimientos antes de concluir:

—Los autores no dejaron su firma y yo me pregunto si...

—¡Estoy al corriente! —le interrumpió Bostoen con voz autoritaria.

Van In estaba tan sorprendido del tono brusco que casi farfulló.

—¿Está muy dañado el monumento de nuestro gran poeta flamenco?

Resultaba difícil saber si la deferencia de Bostoen por Guido Gezelle era fingida. Una cosa era segura, con un acento como ése, era sin duda del Flandes occidental.

—Podría haber sido peor —respondió Van In evasivamente.

Bostoen se puso las gafas y hojeó el expediente que tenía ante él. El día anterior lo había estudiado minuciosamente. En la cubierta verde claro ponía en letras descoloridas: «MWR.»

—Por suerte —dijo al cabo de un rato.

Van In trató de hacerse una imagen de Bostoen. Se respiraba a través del teléfono su altiva seguridad en sí mismo, podría ser un jurista.

—¿Y usted piensa en algún grupo extremista?

—Por lo menos eso parece —respondió Van In con cautela.

—Humm, podría tener usted razón —dijo Bostoen—. Recuerdo vagamente el expediente sobre el Movimiento Revolucionario Valón, pero de todo eso hace demasiado tiempo.

Van In preparó un bolígrafo y esperó pacientemente. Bostoen disponía obviamente de todo el tiempo del mundo.

—Durante un par de años repartieron panfletos y se les intentó acusar de media docena de incendios provocados. En su manifiesto ponía que querían luchar con todos sus medios contra el imperialismo flamenco y que no se arredrarían ante ningún acto por brutal que fuera.

—Eso promete —dijo Van In bastante entusiasmado.

—El problema es que el MWR fue desarticulado en 1980 —dijo Bostoen con un pequeño matiz de despecho—. Lo que no impide, claro está, que un grupo de iluminados quiera insuflar nueva vida al movimiento.

Van In tomaba febrilmente nota.

—Si usted quiere puedo hacer que le envíen el expediente.

—¡Eso sería muy amable de su parte, señor Bostoen!

Van In dejó su bolígrafo y encendió otro cigarrillo.

Bostoen oyó el clic del encendedor, pero no hizo ningún comentario.

—Escribo inmediatamente una nota para el archivo —dijo—. Con un poco de suerte pasado mañana el expediente estará en Brujas —añadió afablemente.

—Muy bien —dijo Van In—. En cualquier caso, muchas gracias por su colaboración.

—Ha sido un placer, comisario.

Bostoen dejó el auricular, se levantó trabajosamente y anduvo cojeando hasta el pequeño refrigerador donde guardaba sus medicinas.

Van In marcó inmediatamente el número del laboratorio científico.

—Justo estaba a punto de hacerte una seña —le dijo alegremente Leo—. Timperman me ha enviado por fax hace media hora la autopsia de Fiedle.

«En los círculos judiciales, el profesor Timperman es una leyenda viva. A pesar de su discreción, el patólogo disfruta de una sólida reputación nacional e internacional y sus estudiantes le adoran.»

—¡Ah, entonces tienes novedades! —le instó impaciente Van In.

—¡Espera, espera! Sobre la causa de la muerte ya está todo dicho. Fiedle falleció como resultado de un hematoma subdural. La fuerte hemorragia le resultó fatal.

—Ahórrame los detalles, Leo.

—De acuerdo, ¿te cuento algo sobre su hígado?

—¡Leo!

—Del contenido de su estómago entonces. Timperman halló muestras de *trigla lucerna* y de *stizostedion lucioperca*.

—¿Qué dices?

—Bejel y peje.

—Pescados.

—En efecto.

—¿Eso es todo?

—Sí —dijo Leo secamente.

—A Fiedle le gustaba pues el pescado.

—Bullabesa, Pieter. El bejel y el peje son los típicos ingredientes de la sopa de pescado meridional.

—Esto nos lleva al cabo de la calle —suspiró Van In—. ¿Algo más?

Leo dudó.

«Creytens se ha hecho completamente suya la investigación y Croos calla como un...»

—¡Bejel!, seguro.

—Timperman ha encontrado un trocito de tejido en la uña del dedo índice de la mano derecha de Fiedle —dijo Leo.

Si Creytens descubría que había copiado el informe de la autopsia, ya podía dedicarse desde mañana mismo a limpiar los pasillos de los juzgados.

—¡Ah, eso sí que es una buena noticia! —dijo Van In—. Procúrame el informe y te habrás ganado una Duvel.

—¿La anoto con el resto o ésa me la voy a tomar a tu casa? —se rio con ganas Leo.

—Esta noche estaré en casa, pásate luego por allí. Y saluda de mi parte a Creytens. ¡Hasta luego, Leo!

Van In permaneció un momento con el auricular en la mano. El trocito de tejido bajo la uña de Fiedle era la primera posible prueba de que el alemán había sido asesinado. Una caída parecía ahora descartada. Era muy probable que el autor hubiera querido hacer que el asesinato pareciera un accidente y eso hacía que el caso fuera especialmente interesante.

Van In cortó la comunicación, esperó el tono y marcó el número del servicio antiexplosivos. Un afable militar le transfirió a cuatro sitios distintos la llamada, pero el teniente Grammens resultaba imposible de localizar. A Van In le era muy difícil pedirle al telefonista que le comunicara con la cantina.

A las tres y media llegó Versavel corriendo. Entró como un Hermes en estado lamentable. El brigadier había estado bajo la nieve y su bigote parecía el de una morsa helada.

—Me parece que nos ha tocado el gordo —dijo entusiasmado.

Versavel colgó cuidadosamente el abrigo en el perchero y se quitó el hielo del bigote.

—Según las fichas de los hoteles, el pasado fin de semana se alojaron 68 holandeses en Brujas. Y entre ellos, uno se llama Adriaan Frenkel y la descripción encaja a la perfección.

—Mario pensó probablemente que Frenkel era un nombre de pila holandés —asintió Van In—. Te sigo, pero...

—Un momento, comisario, déjame acabar. Frenkel había reservado su habitación hasta el martes y se fue a toda prisa el domingo por la mañana.

—¡Toma! —dijo Van In.

—Y pagó sin decir ni mu hasta el martes —añadió triunfante Versavel.

—¡Es nuestro hombre! ¿Tienes su dirección?

Versavel se dio un golpecito en el bolsillo de su camisa.

—Bien, entonces me pondré enseguida en contacto con la policía judicial holandesa.

Versavel frunció el ceño.

—¿Es eso buena idea, comisario?

Van In dio un puñetazo en la mesa de su escritorio.

—*Benson in Himmel!* Cada vez que estamos a punto de atrapar a nuestra presa, tenemos que dejar que esos inútiles del Ministerio Fiscal se lleven todos los honores.

A Versavel ya hacía tiempo que eso le traía sin cuidado.

—¿Paso a máquina el informe? —preguntó servicial.

—Hazlo, Guido. Pero no hace falta que necesariamente lo envíes hoy —dijo Van In haciéndole un guiño.

—También he entrado un momento en el hotel Duc de Bourgogne. Según la recepcionista, la habitación de Fiedle había sido reservada por fax.

Consultó su bloc de notas.

—Por la empresa Kindermann, situada en la Wagnerstrasse, 45, en Múnich.

—¿Para una o dos personas?

—Una. Fiedle era el único alemán que se alojaba en el Duc —Versavel llenó generosamente el filtro de la cafetera y mojó ligeramente el café para que se esponjara un poco.

Van In se levantó, se desperezó y anduvo hacia la ventana. Nevaba tanto que la sal antideslizante que habían echado hacía muy poco efecto. Brujas iba adquiriendo poco a poco un perfil ondulante.

—O bien Mario miente, o bien Fiedle simplemente se encontró el sábado por la noche con otro alemán —dijo.

Versavel echó poco a poco agua hirviendo en el filtro.

—Quizás ella llamó por eso —dijo de pasada.

—¿Quién llamó?

—La prostituta —aclaró Versavel.

—En todo caso, respecto al holandés Mario dijo la verdad.

—No me hagas reír, comisario.

Cogió la cafetera y sirvió café.

—Ya conoces a Mario. Describió con todo detalle al holandés, que probablemente nada tiene que ver con el caso, y dijo muchas vaguedades sobre el acompañante de Fiedle.

—No lo sé, Guido.

Van In tomó un sorbo de café y se dejó caer en su silla.

—¿Te pasa algo? —preguntó Versavel con cierta inquietud cuando el comisario se frotó el pecho.

—Lo siento, Guido. Hoy no me siento demasiado bien.

—¡Todos somos cada día un poco más viejos! —bromeó Versavel.

Van In apenas reaccionó. Evidentemente no se trataba de una nueva depresión, concluyó Versavel. Conocía al comisario demasiado bien.

El ruido de unos agentes corriendo por el pasillo hizo que Van In alzara la vista.

—Las cinco —dijo cínicamente—. ¡Las ratas abandonan el barco!

Versavel mantuvo juiciosamente la boca cerrada.

—¿Y tú, Guido?

—¿Dejó Merlín al rey Arturo en la estacada?

Van In sonrió. Versavel era un erudito y le gustaba que se notara.

—Gracias, Guido. Eres un ángel.

De repente, un intenso dolor le atenazó. Se encontraba en una sala grande y fría llena de gente participando en una subasta. Un presuntuoso agente judicial, acompañado de cuatro robustos tipos, vaciaba su casa. La sangre le fluía a irregulares trompicones por la aorta y unas entrometidas moscas bailaban por delante de sus retinas. De repente, alguien encendió la luz.

—¡Joder, Van In!

La voz de Versavel sonó velada, como si estuvieran separados por una gruesa cortina. Van In estaba tendido en el suelo. Se había dado un golpe en la cabeza con un armario archivador. Versavel reaccionó en una fracción de segundo. Llamó a la central de la jefatura de policía y humedeció un trapo.

Van In oyó a Versavel correr de un lado a otro y abrió los párpados. Por suerte, el dolor remitía. Encima de él había cuatro o cinco feas y furiosas caras desconocidas como salidas de una historia de terror. Reconoció el olor de la loción para el afeitado de Versavel. Al brigadier no se le veía muy alegre.

Revigorizado por el frío trapo húmedo intentó incorporarse.

—¿Qué tal? ¿Quieres que llamemos a un médico?

—Van In notó el frío del suelo subiéndole por la espalda a través del abrigo. Temblaba y no conseguía hacerse una idea de por qué estaba tumbado en el suelo.

—No, déjalo. Ya me siento mejor —dijo en un gemido—. ¿Me he caído? Ayudadme, por favor, a incorporarme.

Cuatro serviciales agentes le levantaron del suelo como un saco de patatas.

—Gracias.

La imagen borrosa se fue haciendo más nítida, pero su pecho crujía como si le hubiera pasado por encima un camión.

—Me parece que de todos modos tendríamos que llamar a una ambulancia —oyó que susurraba con fuerte acento uno de los agentes.

—Es el corazón. Mi suegro se murió de lo mismo la semana pasada.

Versavel dudaba. Van In odiaba los médicos y los hospitales.

—Creo que es mejor que esperemos un poco —les tranquilizó.

Van In le agarró por la muñeca y se la apretó como si fuera un torno.

—Nada de ambulancias, Guido. Todo está bajo control.

Versavel se enfrentaba a un dilema. No es que él se sintiera muy tranquilo, pero la suplicante mirada en los húmedos ojos perrunos del comisario fue determinante.

—Vale, chicos. Muchas gracias por la ayuda. El comisario se encuentra mejor. Yo me ocupo de él.

Los agentes fueron retirándose, mientras que el que había hablado de su suegro trataba de explicar exhaustivamente cuáles eran los síntomas de un infarto.

—Creo que he abusado de tu fuerte café —sonrió Van In agradecido.

Versavel le ayudó a sentarse. El comisario esbozó una sonrisa de paciente de Alzheimer.

—Café, sexo y estrés, como vengo diciendo: te estás volviendo demasiado viejo para este tipo de cócteles, Pieter.

Versavel nombraba al comisario muy raras veces por su nombre de pila, pero precisamente oír su nombre le procuró a Van In una cálida sensación. Entendió de golpe la diferencia entre hemofilia y homosexualidad.

—No en ese orden, Guido. ¡Por favor, no me dejes morir de un exceso de cafeína!

—¿Prefieres que sea por culpa del tabaco? —preguntó Versavel cínicamente—. Yo en tu lugar a partir de ahora me tomaría en serio la advertencia de los paquetes de cigarrillos.

—Tienes razón, Guido. El sexo es muy peligroso para un hombre de mi edad. Sobre todo con una puta —añadió con sarcasmo.

—Fanfarrón, estaba hablando del tabaco.

—Después del sexo, Guido. Yo fumo siempre después del sexo.

—¡Qué bobo!, eres tan tozudo como un pitbull castrado.

—Dame dos minutos y ya verás como vas a cobrar.

Versavel suspiró profundamente y sostuvo el trapo bajo el grifo. Van In iba recuperando lentamente un poco de color y eso le llenaba de un extraño sentimiento de felicidad.

10

Versavel llevó a Van In a su casa en un coche de la jefatura. No hizo caso de las protestas de su amigo y le instaló en el sofá con un edredón. Después encendió el fuego de la chimenea y le obligó a tomarse un par de comprimidos efervescentes.

—Intenta descansar un poco —dijo con firmeza—. Yo mientras leeré un libro.

Van In cerró obedientemente los ojos. Se moría de ganas de un cigarrillo, pero mientras Versavel estuviera allí era lo mismo que pedirle estricnina. Oía al brigadier pasar las páginas a intervalos regulares. Van In trató de relajarse y contó del 100 al 1. Cuando este eficaz método también le falló, se puso de lado e imitó la tos áspera de un minero.

Versavel cerró el libro y miró con compasión al comisario.

—Todavía queda un poco de whisky en la nevera, Guido. Mis cuerdas vocales parecen papel encolado.

Versavel contempló pensativo las llamas. Según los médicos un poco de whisky no podía hacer ningún daño. En algunos casos, el alcohol podía tener incluso un efecto benéfico.

—Adelante, pues, toma un whisky —se rindió Versavel.

—Y no te olvides de ponerte uno tú —le gritó Van In.

La áspera voz desapareció. Se hundió en el sofá y miró caer los copos de nieve por la ventana. Los momentos de intensa felicidad son escasos. Te producen una sensación de cosquilleo en la piel y luego te dejan grogui.

—Gracias, Guido.

El whisky apenas coloreaba el fondo del vaso. Van In movió el líquido para liberar todo su aroma y se demoró en probarlo.

Versavel puso un CD de Corelli. La música de clavicémbalo llenó la habitación, que olía a madera crepitante, de serenidad y de una vaga atmósfera de sublimado placer.

—¿Qué estás leyendo? —preguntó Van In al cabo de un rato.

Versavel le mostró la cubierta. Van In leyó el título.

—¡*Caos!* —respondió sorprendido—. ¡No recuerdo haber leído nunca este libro!

—Lástima, comisario. Yo lo encuentro realmente fascinante.

—Llévatelo entonces a casa, Guido. Me las sabré arreglar solo. Ya no me puede pasar nada más.

Pasó más de un cuarto de hora hasta que Versavel estuvo convencido de que Van In se encontraba otra vez perfectamente.

—Voy a dormir como un bebé.

—De acuerdo —dijo Versavel finalmente—. Pero tienes que prometerme dos cosas.

Van In contuvo aliviado el aliento y se arrebujó bajo la manta como un niñito mimado.

—¡Mañana vas a ir a ver a un médico!

Van In se bebió el último sorbo de whisky y asintió obediente con la cabeza.

—Y si esta noche te pasa algo, llámame.

Versavel se acarició un par de veces el bigote, señal de que estaba preocupado.

—Trato hecho, Guido. ¿No pensarás que esta noche puedo dar ni un paso más?

Versavel pareció creerle. Cogió un trozo de leña y lo tiró al fuego.

—Voy a cerrar la puerta y tiraré la llave en el buzón.

—Muy amable de tu parte. Nos vemos mañana en la oficina.

Van In cerró los ojos y esperó hasta que oyó la llave caer en el buzón. El ruido le sonó como la liberadora sirena de una fábrica. Saltó del sofá y cogió un paquete de cigarrillos de reserva del armario de la cocina ya que Versavel, implacable, le había requisado sus existencias. Después bajó descalzo la escalera y cogió de la bodega una botella de Rémy Martin llena de polvo.

Mientras tanto había empezado a soplar un fuerte viento del noreste. Miles de copos de nieve venían a morir discretamente contra el cristal caliente de las puertas de la terraza.

Van In encendió un cigarrillo, dio una profunda calada, descorchó la botella de coñac y se sirvió. Echó el humo en la copa, lo olisqueó y tomó un sorbo del ámbar licor.

Convencido de que la mayoría de los empleados de banco pasaban las noches sentados como buenos chicos frente al televisor, marcó el número de Philippe Depuydt. Tras el tercer «ring» descolgaron el teléfono.

—Hola, soy Pieter van In, ¿está Philippe en casa?

—Un momentito —dijo una voz femenina—. ¡Phi-liiiiphe... es para ti!

Van In oyó a un niño berreando y casi pudo oler el lejano olor de las nalgas con talco. Pasaron algunos minutos pero al final alguien cogió otra vez el auricular.

—¿Philippe Depuydt? Soy Pieter van In.

Al otro lado se hizo un desagradable silencio.

—¿Te acuerdas de mí, no? —dijo en tono cómplice—. Fuimos juntos al colegio. Te sentabas a mi lado en la sala de estudio, hacíamos heroicas batallas con nuestros compases.

—Sí —dijo una voz dubitativa.

—El lunes te vi en el banco. Tenía que hablar con el director y te vi pasar.

—Me temo que no puedo ayudarte, Pieter van In —dijo Depuydt que ya se olía algo. Nadie llama después de veinticinco años a un antiguo compañero de escuela sólo para saludarle.

—Escúchame, viejo amigo. Sé que tienes problemas con tu vecino. —Van In recurrió a un autoritario tono de policía—. No tienes en absoluto de qué avergonzarte. El ruido por la noche es un grave problema que muchas veces se subestima. Sé muy bien de qué hablo —mintió.

—Sí, pero... —replicó Depuydt.

—Puedo ayudarte, Philippe. Sé por qué las autoridades no hacen nada.

Depuydt sintió que el corazón le subía a la garganta. La rencilla con Debaes, el propietario del Octopus, le tenía muchas noches sin dormir. Habría dado cualquier cosa por encontrar una solución.

—Eso es muy amable de tu parte, Pieter.

—Yo puedo hacer que se acabe ese ruido si tú me

cuentas por qué el banco quiere comprar mi casa a toda costa.

Se hizo otra vez el silencio. El ruido de fondo quedó apagado, eso significaba que Depuydt había tapado el auricular con la mano. «Estará comentándolo con su mujer», pensó Van In.

—¿Por qué debería creerte? —La voz de Depuydt sonaba abatida—. Hasta el momento nada se ha podido hacer, y si violo el secreto bancario puedo perder mi empleo.

—El secreto bancario —se rio Van In—. Tampoco hace falta que exageres. Simplemente tengo curiosidad. Además mis padres me han prestado algo de dinero, así que de todos modos la venta no irá adelante.

Siguió de nuevo una corta deliberación. Esta vez Depuydt puso la mano más descuidadamente encima del auricular. Van In reconoció la aguda voz femenina. El argumento de que Van In podía pagar su deuda acabó con la última resistencia.

—¿De veras puedes hacer que dejen de hacer ruido?

—En una semana —respondió Van In resueltamente.

—Bueno —dijo Depuydt dudando—. Nunca se ha tenido la intención de vender tu casa en subasta pública. Desde hace algunos años hay una inmobiliaria que rastrea todo el mercado. Buscan morosos y presionan al banco para que se deshaga de las casas de la gente con dificultades financieras.

—Sigue, Philippe.

Van In casi no podía dar crédito a sus oídos. De los bancos se esperaba que hicieran negocios limpios.

—Eso es todo, de verdad.

—¡Qué disparate! —dijo con desdén Van In—. Siempre he sospechado que Lonneville era un tipo corrupto.

—Por favor, deja a Lonneville fuera de esto —suplicó Depuydt.

—De acuerdo, Philippe. Me contentaré con el nombre de la inmobiliaria.

—Die Scone —musitó Depuydt—. Pero júrame que esta información quedará entre nosotros.

—Ya puedes dormir a pierna suelta, Philippe. Dentro de poco ya no te molestarán más esos ruidosos.

—Eso espero. En todo caso gracias por tomarte la molestia.

—Gracias a ti también —dijo Van In—. Y llámame si algo no va bien, ¿de acuerdo?

Van In colgó el auricular y trazó con el bolígrafo obstinados círculos alrededor de estas dos palabras: Die Scone.

Después del último noticiario, Van In subió arriba y tomó una ducha caliente. Se puso ropa interior limpia y sus apretados tejanos favoritos. Los michelines que le salían por encima de la cintura del pantalón los camufló con un vistoso jersey que le había regalado Hannelore hacía dos meses.

De la Moerstraat a la plaza Jan van Eyck había apenas cinco minutos andando. La nieve caía a grandes copos. Van In avanzaba con esfuerzo inclinado hacia delante y trataba en vano de mantener el cigarrillo seco en la palma de la mano. Anduvo arrastrando los pies por la Grauwwerkerstraat y fue sorteando con destreza los montoncitos de caca de perro medio hundidos en la nieve.

En la Villa, dos parejas con el pelo revuelto miraban con aburrimiento sus bebidas. Mario le saludó sin ganas con la mano y Jacques le ayudó cortésmente a quitarse el abrigo.

—Fans de Wendy van Wanten —dijo el pálido camarero—. Se han equivocado, claro, actuaba ayer.

Van In se rio. Jacques repetía siempre la misma excusa cuando no había gente.

—¿Está Véronique?

—Está arriba, arreglándose. ¿La llamo?

—No te molestes, conozco el camino.

Van In, con el corazón palpitándole con fuerza, volvió atrás, abrió la puerta grande con un espejo y subió la oscura e inclinada escalera. Muy distinta de la planta baja, esta parte se parecía más a una casa cuartel de Varsovia. La pintura se caía de las paredes y en el techo proliferaban las manchas de moho negro como algas podridas en la línea de la marea alta. El olor era sofocante, pero a nadie parecía importarle. Los hombres que subían hasta allí tenían otras cosas en mente.

Véronique ocupaba la habitación más amplia, al final del pasillo. Van In golpeó en la puerta y sin esperar respuesta, la empujó para abrirla.

Véronique tenía, como la mayoría de las putas, el gusto de una chica de doce años: ropa de cama de colores pastel, un montón de animales de peluche y un tocador de color blanco con un acabado agrietado con ribetes dorados.

—*Pierrot!!!* Pensaba que no vendrías más.

Véronique saltó de su taburete como una delicada bailarina. Van In vio que había tomado drogas, pero eso la hacía estar mucho más tierna.

—*Tu m'as manqué.*

—*Toi aussi* —consiguió manifestar él entre dos besos.

Véronique había llegado a Brujas hacía dos años. No tenía visado, como tantas otras chicas del antiguo bloque del Este. Cuando la arrestaron, Van In se había apiadado de ella. Tenía veintidós años y olía a tundra. Sus pronunciados pómulos, sus labios rojos como el coral y un cuerpo que se merecía el premio Nobel de la paz, hacían que la joven rusa fuera lisa y llanamente irresistible. Ella le había dejado campar por sus fueros y él había quedado enganchado.

—Me has llamado —dijo él torpemente.

Ella le pasó los brazos por la nuca y empezó de nuevo a besarle ardientemente.

—Te preparo primero una bebida, ¿un Campari?

—Si no tienes otra cosa —respondió Van In suspirando.

Sacó una botella de Haig de detrás de la cortina y llenó dos vasos pringosos.

—*Tu avais quelque chose à me dire, chou* —repitió él en su mejor francés.

Véronique le alcanzó un vaso y fue a sentarse al borde de la cama.

—¿Se trata del alemán?

—¿Fiedle?

—No, el otro —dijo Van In con parsimonia.

—*Pierrot*, no tendrás tanta prisa, ¿no? —dijo ella enfurruñada—. *Encore un peu?*

Véronique llenó de nuevo el vaso de Van In, sin prestar atención al hecho de que su bata descuidadamente abrochada se abriera.

—¡Ése no era alemán! —dijo ella despreocupadamente.

Van In tomó un buen trago de su whisky y se quitó el abrigo. Su falso alemán bien podía esperar un poco.

Nada podía estropear el día de Enzo Scaglione. Aparcó su BMW color azul pizarra en la sombra de la catedral Sint-Baafs de Gante, puso algunas monedas en el parquímetro y anduvo de buen humor en dirección al mercado Koren. Bajo su caro abrigo, guardaba un fajo de crujientes billetes: la recompensa por haber hecho volar a Guido Gezelle.

Su madre siempre había soñado que fuera médico o abogado. Le había enviado a la universidad contra la voluntad del viejo Scaglione. Enzo había estado matriculado en las facultades de Namur, Lovaina y Gante. Había perseverado durante seis años, hasta que su madre falleció en un accidente de tráfico. Tenía apenas cuarenta y nueve años cuando un borracho la atropelló frente a la puerta de su casa.

Tres meses después, Enzo se introdujo en el ambiente. Un diploma universitario ya no lo obtendría nunca y no le importaba un pito. Hoy había cobrado unos honorarios que la mayoría de los cirujanos sólo se atreven a soñar.

La Gravensteen brillaba como un monolito extraterrestre encima del canal helado. La límpida nieve en las galerías le daba al viejo gigante un aspecto venerable. Un tranvía dejó dos rastros paralelos en las calles desiertas. La tormenta de nieve enturbiaba el intenso haz de luz amarilla de las farolas. Al contrario que en Brujas, en Gante no echan sal en la vía pública, lo cual para los peatones es mucho más seguro. Enzo no tenía ninguna prisa. Disfrutaba del silencio y la serena calma del momento.

Robert Nicolaï ocupaba un piso renovado en el barrio medieval, muy cerca del Pand. Enzo conocía el antiguo claustro como la palma de su mano. Había vagabundeado por ahí con frecuencia cuando era estudiante. Desgraciadamente, después de su restauración el lugar había perdido el romanticismo de antaño, que había sido sustituido por un austero diseño de los años noventa.

Nicolaï estaba esperando a su visitante, ya que antes de que Enzo retirara el dedo del timbre, la puerta se abrió.

—Entra —dijo amablemente.

Nicolaï era un chico guapo, bajito pero con aspecto de culturista. Llevaba el pelo recogido en una larga cola de caballo y su apretón de manos era fuerte y seco.

—¿Sin problemas?

Enzo alzó los hombros y entró. El piso estaba amueblado con sobriedad. Los muebles de Ikea casaban perfectamente con las paredes de cal blanca, y un par de alfombras de color salmón recubrían el parquet.

—Siéntese, por favor.

Nicolaï no sabía el nombre de su visitante y Enzo no tenía ninguna intención de presentarse. Se sentó en una mecedora de madera de haya sin pintar.

—¿Le puedo ofrecer algo?

Nicolaï hablaba holandés con mucha dificultad pero se esforzaba al máximo.

—Perfecto —dijo Enzo.

—¿Vino blanco?

—De acuerdo.

El diálogo sonó tan austero como el artificioso ambiente.

—Este piso es muy acogedor, señor Nicolaï.

El valón, de anchas espaldas, esbozó una modesta sonrisa. Le gustaba que se apreciara su buen gusto.

—Voy a buscar una botella en el refrigerador. Dese mientras una vuelta tranquilamente por aquí.

Enzo no necesitaba dar una vuelta para mirar. En casa tenía un grueso expediente sobre el joven.

Robert Nicolaï trabajaba como soldador en una empresa metalúrgica. A pesar de sus humildes ingresos era adicto a los productos de lujo. Idolatraba a Armani, coleccionaba juguetes antiguos y adoraba la buena comida. Tener que ocultar al resto del mundo estos excesos no le importaba. Vivía enclaustrado y no compartía con nadie sus ocultos placeres. Para financiar sus aficiones, cometía de vez en cuando un robo. Trabajaba exclusivamente por encargo y con una comisión fija. Su especialidad eran las joyas, pero si andaba corto de dinero, aceptaba cualquier trabajito.

—Pero quítese el abrigo, señor —le propuso gentilmente Nicolaï—. Así hablaremos con más comodidad.

El valón colocó la botella y las copas sobre la repisa de la chimenea y ayudó a Enzo a quitarse su caro abrigo.

—¿Inglés? —preguntó sin mirar la etiqueta—. ¿Savile Row?

Enzo afirmó con aprobación. Aunque siempre rechazaba las familiaridades con alguien a quien él contrataba, sentía cierta simpatía por el soldador. Al tipo le gustaba vestirse bien, igual que a él.

Nicolaï descorchó el vino con destreza profesional y llenó las copas. Casualmente, el Pinot Noir era también el preferido de Enzo.

—Llevo encima el anticipo —dijo Enzo cuando hubieron probado el vino—. Cuatrocientos mil ahora y el resto después del encargo. Encontrará todos los detalles dentro de este sobre —dijo, sacando el dinero y las instrucciones del bolsillo interior de su americana.

Nicolaï asintió con la cabeza, vacilante, como si justo acabara de darse cuenta ahora de lo que se esperaba de él. Este trabajo podía tener graves consecuencias. El robo era una cosa, pero esto...

—¿Se da cuenta del riesgo que corre? —dijo Enzo, que había detectado la vacilación.

El soldador podía ser un avezado ladrón, pero colocar una potente bomba era trabajo de un experto y estaba claro que Nicolaï no lo era.

Nicolaï rasgó nervioso el sobre.

—En las hojas verdes encontrará un esquema del sistema de seguridad —dijo Enzo.

Posiblemente el valón no había entendido bien a Enzo porque cogió las hojas azules.

—Esto son los dibujos del edificio —reaccionó hosco Enzo.

—Lo siento. Ya los examinaré luego.

El fajo de billetes pareció interesarle más. Contó los billetes de diez mil como un experimentado empleado de banca.

—La torre no es ningún problema —dijo Nicolaï impertérrito—. Hay hendiduras y salientes, en menos de media hora estoy arriba.

Enzo temblaba a pesar del confortable calor que reinaba en el apartamento. No se podía imaginar que alguien quisiera escalar por fuera y sin protección una torre de más de ochenta metros. Él, a quien ya le temblaban las piernas si miraba por la ventana de un tercer piso.

—Puede escoger libremente la fecha para escalarla —dijo Enzo, bebiendo un generoso vaso de vino para quitarse la sensación de vértigo de encima.

—Cuanto antes, mejor —dijo Nicolaï con resolución.

—Antes del 1 de abril sería ideal.

—No se preocupe, si no hubiera esta jodida nieve, probaría suerte mañana mismo.

Enzo había olvidado por completo la nieve. Evidentemente, Nicolaï no podía escalar la torre en estas condiciones.

—Por suerte, aquí la nieve no dura mucho —dijo el valón.

—No, pero sí que puede hacer un frío glacial.

—Eso no es ningún problema, el año pasado subí un muro perpendicular de cuatrocientos metros en los Alpes franceses con una temperatura de diez grados bajo cero —dijo Nicolaï, seguro de sí mismo.

—De acuerdo, entonces.

Enzo vació su copa de un trago.

—Ésta es la llave de la consigna de equipajes. Me imagino que la vaciará lo antes posible. La gendarmería lleva a cabo de vez en cuando controles rutinarios y a veces utilizan perros entrenados.

—Para encontrar drogas, seguro —respondió el valón con bastante sarcasmo.

Enzo pestañeó. El soldador tenía muchos humos y eso no le gustaba.

—El año pasado hubo una alarma de bomba en la estación de Saint-Pieters. No creo que entonces usaran perros entrenados para encontrar droga.

Nicolaï rompió a reír como un niño que hubiera ganado un enorme oso de peluche en la feria. Enzo respiró profundamente e intentó reprimir su cólera. Como medio siciliano que era, pertenecía a la categoría de productos altamente inflamables.

—Yo no me tomaría este encargo a la ligera —dijo.

—No se preocupe, señor, casi nunca cometo errores.

—Eso espero por usted, *amice*.

Enzo se puso en pie. El valón reaccionó inmediatamente, fue hacia el perchero y le alcanzó su abrigo.

—Si hubiera el más mínimo problema, siempre puede localizarme en este número —dijo Enzo sacándose una tarjeta del bolsillo interior y dejando durante diez segundos que Nicolaï mirara el número.

Nicolaï lanzó una rápida mirada a la tarjeta.

—Entonces, me marcho —dijo Enzo secamente.

Se levantó el cuello del abrigo y le tendió la mano.

—Mucha suerte.

—Gracias. ¡Y dígale a su jefe que todo saldrá perfectamente bien!

La frase tenía algo de arrogante y Enzo tuvo la impresión de ser un simple mensajero. El valón tenía agallas, pero su ingenuidad era un mal indicio. Frente a la puerta, Enzo se volvió bruscamente.

—Repítame el número de teléfono.

Nicolaï hizo una mueca y reprodujo el número sin ningún tropiezo.

—Mi jefe se sentirá satisfecho —dijo Enzo con sarcasmo—. Si su técnica de escalada es tan infalible como su memoria, no hace falta que nadie se preocupe.

11

—Creo que debemos poner a Versavel al corriente. No puedo trabajar con un ayudante que no está completamente implicado en el caso —dijo Van In formalmente.

El comisario en jefe Carton se puso sus manos de minero junto a la nariz y aspiró lo que a Van In le parecieron litros de aire.

—¡Ya sabes que el alcalde exigió absoluto secreto!

—Lo que claramente demuestra que Moens no sabe mucho de asuntos policiales —replicó Van In—. ¡Como todos los políticos, sólo piensa en su imagen!

Carton se desanudó la corbata. El aire era condenadamente seco en esa habitación. Se acercó al radiador y verificó el nivel de agua del humidificador.

—Aquí no hay nadie que se ocupe de estos trastos —refunfuñó.

—Una investigación de este alcance es demasiado para un solo hombre —siguió insistiendo Van In—. Y además, me falta tiempo. No puedo hacerlo todo solo.

Carton se dio la vuelta y miró penetrantemente a Van In. En tres años iba a jubilarse, y nunca había tenido la ambición de llegar al puesto que ocupaba.

—Me he enterado de que ayer te sentiste indispuesto otra vez —dijo de pasada—. ¿Te encuentras mejor?

Van In asintió con la cabeza.

—No es nada, comisario. El estómago vacío, un par de tazas de café fuerte y una noche en blanco. Ya no tengo dieciocho años.

Carton pareció sentirse satisfecho con esta explicación.

—Debo suponer entonces que ya has informado a Versavel —dijo súbitamente en un tono formal.

Carton podía no haber estudiado en la universidad, pero en todo caso no le faltaban conocimientos de la naturaleza humana.

—¿Cómo lo has adivinado? —preguntó Van In con aire inocente.

Carton fue a sentarse otra vez y plantó los codos encima del escritorio.

—En ese caso, problema resuelto —dijo, amenazante—. Tú diriges la investigación. ¡Pero pon a Moens al corriente!

—Lo siento, pero...

—¡Ahórrame tus excusas, Van In! Hazme un favor, ponte manos a la obra y obtén resultados hoy mismo. Y asegúrate de que Versavel mantendrá la boca cerrada.

—Pondría la mano en el fuego por él, igual que Mucius Scaevola.

—¡¿Mucius qué?!

Carton era un ferviente aficionado a la televisión. El nombre le hizo pensar en *El Padrino*.

—Scaevola era un patricio romano que dejó que su mano se carbonizara en el fuego para demostrar que...

—No te molestes, Van In. Tus historias no me interesan un pito. *Capice?*

—Por supuesto, comisario.

Carton no protestó cuando Van In se levantó y se marchó ofendido. Había hecho valer su autoridad, y eso era lo que contaba.

Versavel recibió a Van In con una amplia sonrisa.

—¿Has dormido bien, comisario?

—Como un ángel, Guido. Apenas oí cómo tirabas la llave en el buzón.

A pesar del frío y húmedo viento del este y de las tormentas de nieve persistentes, el brigadier iba en mangas de camisa. En la comisaría no se ahorraba en calefacción. Además, Versavel acababa de regresar de Lanzarote. Estaba terriblemente orgulloso de su bronceado.

—¿Algún problema con el viejo?

Van In alzó los hombros.

—Un jefe siempre es un jefe —dijo con indiferencia.

Leo Vanmaele llegó por sorpresa a las nueve y media. El jocoso gnomo se sacudió la nieve de la espalda como un perro salchicha mojado.

—¡Me debes cuarenta y ocho cervezas Duvel! —dijo.

Versavel puso en marcha el procesador de textos y fingió tener mucho trabajo.

Leo depositó un grueso expediente en el escritorio de Van In.

—Naturalmente, no hace falta que leas toda esta porquería —dijo despreocupadamente—. El teniente Grammens y yo estamos completamente de acuerdo. El monumento se hizo explotar con Semtex. Te ahorraré los detalles técnicos del mecanismo de detonación, pero créeme si te digo que no nos las tenemos que ver con un chapucero.

—¿No fueron entonces unos vándalos?

—Me temo que no, Pieter.

Leo se dejó caer en una silla y se abrió la cremallera del abrigo.

—Grammens incluso pudo determinar el tipo de detonador —dijo triunfante—. Un sistema que en principio sólo usa el ejército.

—Bueno, algo es algo —dijo Van In—. Si el detonador fue robado, podremos descubrir de dónde procede.

—¡Para eso tendríamos que buscar a nivel europeo! —dijo Leo—. Según Grammens, esta clase de artículos electrónicos se utilizan en tres países.

—Alemania, Francia y Gran Bretaña —dijo Van In automáticamente.

—¿Cómo lo sabes? —preguntó Leo extrañado.

—Los alemanes los inventan, los franceses los venden y los ingleses los obtienen regalados de los americanos.

—¿Me pongo en contacto con la Europol? —preguntó Versavel, que viendo que esta vez no estaban discutiendo había apagado otra vez el procesador de textos.

—¡¿La Europol?! No me hagas reír, Guido. Cuando hayan puesto en marcha sus ordenadores, estaremos celebrando el segundo milenio.

—La situación es en todo caso grave —dijo Leo—. Con terroristas de esta calaña no hay que tomárselo a broma.

—¡Ojalá fueran estudiantes! —respondió lacónicamente Van In.

Tomó el expediente, lo abrió y leyó el primer párrafo.

—El análisis del papel de la carta tampoco ha dado muchos resultados —dijo Leo.

Van In volvió a dejar con cara de aburrimiento el informe de Grammens en la mesa.

—Teniendo en cuenta que había tres pares de huellas conocidas, el papel había sido cuidadosamente limpiado. Las huellas sin identificar del sobre son probablemente del cartero, el clasificador, la secretaria del alcalde y cualquiera que haya manipulado inocentemente el sobre. No puedo imaginar que alguien que limpia el papel de la carta no lo haga del sobre.

—Me parece lógico —respondió Van In.

—Pero también tengo buenas noticias —dijo Leo con entusiasmo—. He hecho que un filólogo examinara el texto.

—*Benson im Himmel!* —dijo Van In suspirando—. Pero si habías prometido que...

—No te asustes, Pieter. He copiado la carta y la he fragmentado. El tipo no tiene la más mínima idea de qué significa.

—Menos mal —dijo Van In, que había sentido un nuevo pinchazo fulgurante en el pecho, pero que se esforzó para que no se notara.

—En la carta hay construcciones sintácticas que un valón o un francés nunca utilizarían. Según nuestro filólogo, parece muy evidente que se trata de una traducción de un texto holandés.

—¡El holandés! —dijo Van In—. Guido, ¿te has puesto ya en contacto con la policía judicial holandesa?

—Ayer tuve que interrumpir prematuramente mis investigaciones —dijo Versavel diplomáticamente y acariciándose el bigote.

—¡Qué tonto he sido! —dijo Van In—. ¡Lo mejor será que lo hagamos inmediatamente!

—Envío un fax ahora mismo, comisario.

—Sí, muy bien, Guido —dijo Van In, sacudiendo la cabeza con agradecimiento.

—Hemos recibido una denuncia por un cheque sin fondos —dijo Versavel con cara avinagrada.

Van In levantó la cabeza, sorprendido. Leo se había marchado hacía un cuarto de hora y se estaba preguntando por qué Versavel tardaba tanto en regresar.

El brigadier puso el cheque encima de su escritorio.

—¿Lo reconoces?

—¡La arpía! —dijo Van In resoplando y poniéndose de todos los colores.

—Normalmente, este cheque mañana debería estar sobre la mesa de algún sustituto —dijo Versavel con un aire hosco.

—¿Y? —preguntó Van In desesperado.

—Por suerte, es Verbeke quien está de servicio. Si no, no lo habría conseguido.

—Eres un ángel, Guido.

—No te comprendo, comisario.

—¿Ha encargado Verbeke un proceso verbal?

Versavel sacó del bolsillo del pantalón un hoja de papel doblada por la mitad.

—¿No ha protestado?

—Ya conoces a Verbeke —dijo Versavel con sarcasmo—. Lo hago por Hannelore, comisario.

Van In volvió a pensar en Mucius Scaevola, que puso la mano bajo un brasero para persuadir a Porsenna de que no tenía sentido seguir con el asedio de Roma. Versavel estaba hecho de la misma madera que el patricio romano.

—No hace falta que imagines inmediatamente lo peor —murmuró.

—¿Debo creer entonces que fuiste a leerle cuentos para dormir a Véronique?

—Necesitaba ciertas informaciones, Guido.

—Eso es también lo que siempre dice James Bond.

—De veras, Guido. Ayer, ella me explicó que...

—¡¿Ayer?! ¡¿Entonces saliste otra vez?!

Ningún fiscal habría podido acorralar mejor a un acusado. Van In, avergonzado, bajó la mirada.

—Voy a cortar con esa chica —dijo—. Te lo juro, Guido.

—No jures nada, comisario. Iré a pagar a esa puta esta noche. Rompe ese cheque y no hablemos más de ello.

Van In no había vuelto a llorar desde la muerte de su madre, pero tuvo que hacer un gran esfuerzo para reprimir las lágrimas que le empañaban los ojos. Tenía un nudo en la garganta.

—¿Podrías ponerme café, Guido?

Versavel comprendió y se dio la vuelta.

—¿Dos terrones, comisario?

Van In asintió con la cabeza y cogió la taza de café humeante que le tendía Versavel.

—Ese tipo que acompañaba a Fiedle no era alemán —dijo al cabo de un rato—. Y eso no simplifica en absoluto el caso, todo lo contrario.

—¿Era homosexual?

—Peor, Guido, mucho peor.

—¿Un político?

Estallaron a carcajadas al mismo tiempo. Van In incluso olvidó por unos momentos todas sus preocupaciones.

—Era Georges Vandekerckhove —dijo entre risas.

—¿Quién? ¿El director general de Travel?

—¡En persona! —respondió Van In.

—¿Vas a interrogarle?

Van In se sonó en una servilleta de papel. Las lágrimas le corrían por las mejillas.

—Tenemos que hacer algo o a Carton le va a dar un ataque. Y cuando un poli ya no sabe a qué santo encomendarse qué le queda sino las ganas de llenar una cantidad ingente de papeles.

—Para hacer papel se necesita madera —objetó Versavel.

—¿A qué viene eso ahora? —preguntó Van In, que había sentido de nuevo dolor en el tórax.

—Trato de mantener un equilibrio ecológico, ser verde está de moda —aclaró Versavel.

—Y tener la risa del conejo, también —dijo Van In—. ¡Ve a explicarle a Moens que tenemos que cocer a un capitán de industria! ¡Y no te lo he dicho todo todavía! ¡Vandekerckhove es además el dueño de la Villa! ¿Lo sabías?

—¿No podemos entonces arrestarle por trata de blancas? —dijo Versavel frotándose las manos.

A Van In le costaba mucho admitir que en ese caso él también tendría que comparecer en el banquillo de los acusados.

—Creo que mañana le haré una visita informal a Vandekerckhove —dijo—. En todo caso, siento curiosidad por saber por qué no reaccionó en absoluto tras la muerte de su amigo alemán.

—Estoy convencido de que esto no le va a gustar nada a Croos.

—¡Que le zurzan!

—¿Y Creytens?

Van In removió el café templado de su taza. Versavel tenía razón, aunque...

—Un juez de instrucción que encierra un expediente

bajo llave no es a mi modo de ver una persona de fiar. Te apuesto una cena en el Wittekop a que permanecerá callado.

—Pues pediré solomillo de buey flambeado —dijo Versavel cínicamente.

—Eso no está en la carta, Guido.

—Exacto, comisario. Será suficiente con un bistec normal. Al menos así no te quemas los dedos.

—Tendrías que haber sido Papa, Versavelito. Una profesión que te iría como un guante: ¡Darle lecciones a la gente!

—Supongo que mis impertinentes observaciones serán castigadas.

—Supones bien —le hizo la puñeta Van In—. Desde mañana mismo quiero saberlo todo sobre una inmobiliaria de Brujas.

—¿Te vas a mudar?

—¡Calla y escribe, brigadier!

Van In necesitaba aire fresco y Versavel no protestó cuando se marchó deprisa y corriendo. El comisario anduvo errando por Brujas como el espectro de Don Quijote. En menos de una hora, cruzó toda la ciudad y finalmente fue a parar al Burg. Un entusiasta guía dirigía a sus turistas hacia unas galerías comerciales como si fueran un rebaño de ovejas. En el resguardado callejón Steeghere, cantó con voz estentórea una oda a la belleza eterna de Brujas.

A Van In le apetecía tomar algo caliente. La chimenea de un conocido salón de té le llamaba como una seductora sirena. La tentación era enorme, pero pensó en san Antonio en el desierto y resistió. Pasó con resolución al grupo de turistas, que parecían escuchar sin ningún interés a su *Führer,* y al final de la galería, giró a la izquierda. En cinco minutos se encontraba bajo las imponentes torres de la iglesia de Nuestra Señora.

Se quitó la nieve de los zapatos y franqueó rápidamente la entrada. Hacía tanto frío en la iglesia como en el exterior, pero algunos de los turistas no parecían darse cuenta, ocupados como estaban en comentar en voz alta la decoración gótica, como si estuvieran viendo el estreno de una película de Spielberg.

En la nave lateral, Van In anduvo hasta el altar donde la *Virgen con el Niño* de Miguel Ángel miraba por encima de las cabezas de una veintena de admiradores. Aunque por todas partes había carteles pidiendo silencio en cinco idiomas, oyó a un guía que presentaba la *Virgen con el Niño* en voz alta a un grupo heterogéneo de visitantes. Van In se unió al grupo y escuchó distraídamente el colorido discurso de un aficionado al Renacimiento. Se expresaba en una lengua arcaica, trufada de términos técnicos que harían palidecer de envidia a un estudiante de historia del arte.

Van In cogió una silla y se sentó para observar más atentamente la escultura. La cara de la *Virgen con el Niño* de Brujas se parecía asombrosamente a la *Piedad* de Roma. También las vestiduras de ambas esculturas mostraban un notable parecido. Van In no era un entendido en arte, pero tenía la sensación de que la mirada de la Virgen de Brujas revelaba cierta melancolía. La tela de su vestido parecía más tirante y veía al *Niño* algo más grande.

—Miguel Ángel, señoras y señores, fue junto con Leonardo da Vinci el artista más completo del Renacimiento italiano.

Vestido con una americana impecable, el guía, un

hombre de cierta edad, hablaba alternativamente en inglés y en francés.

—No hay que olvidar que el siglo XV abre una nueva era. Miguel Ángel y Leonardo fueron los precursores de una corriente que abriría nuevos horizontes a la civilización occidental. Miguel Ángel Buonarroti era un *uomo universale*. Muy consciente de su valía, arrogante e imprevisible, se enfrentaba a los Papas y se negaba a respetar las reglas quc habrían limitado su arte. Todas las creaciones de Miguel Ángel son obras maestras y ello se puede apreciar en esta escultura.

Todas las cabezas se volvieron hacia la *Virgen*. Van In miraba la escena divertido. El viejo resultaba un poco fanfarrón, pero conseguía cautivar a su auditorio.

—Permítanme que les cuente una pequeña anécdota.

Todo el mundo prestó atención, para gran satisfacción del guía.

—Se dice que cuando Miguel Ángel recibió el encargo de realizar esta escultura, se puso a buscar un modelo apropiado. Quería una joven que tuviera la inocencia de una virgen y la nobleza de rasgos de una dama. Tras una larga búsqueda, encontró a una chica que aceptó posar para él. Como era de sangre noble, la llamó *la contessina*. Y pasó lo que tenía que pasar. A lo largo de las sesiones, fue enamorándose de ella, pero ese amor no fue correspondido. Como era habitual en esa época, *la contessina* fue prometida en matrimonio a un rico comerciante florentino. Miguel Ángel, que detestaba todo lo que olía a pequeño burgués, quedó tan frustrado que grabó las iniciales M. F. al pie de la estatua.

El público habría comido de la mano del guía. Esta anécdota les dejó más impresionados que la compleja exposición que la había precedido.

—Como todos sabemos —prosiguió el hombre dándose importancia—, Miguel Ángel nunca firmaba sus obras. Eso es lo que hace a esta *Virgen* de Brujas muy especial. Esta estatua es la oda al amor de un gran artista por su amada florentina. M. F., señoras y señores, son las iniciales de *Mia Fiorentina*, concluyó el hombre en un tono dramático. ¡Mi pequeña florentina!

El viejo guía esbozó una sonrisa de querubín y recibió con exagerados agradecimientos las propinas.

Van In lanzó una última mirada a la escultura antes de alejarse distraído hacia la salida. Cuando estuvo fuera, se dio cuenta de que la fría iglesia ofrecía no obstante protección contra el fuerte viento. Se levantó el cuello de la chaqueta y trató de no temblar acelerando el paso. ¡Un *Irish coffee* le sentaría a las mil maravillas!

12

—No pareces muy entusiasmado —dijo riendo disimuladamente Versavel.

—¿Quieres ir tú en mi lugar? —preguntó Van In agresivamente.

Encendió un cigarrillo y empezó a andar nervioso de un lado a otro de la sala. Versavel se sentó frente a su ordenador y puso en marcha el programa.

—¡¿Qué quieres, comisario?! *Dura lex sed lex*, ¿no?

—Y *durex sad sex*, seguro —respondió Van In mordaz.

Versavel se rio educadamente.

—Vandekerckhove no es un cualquiera. Y además no tengo en realidad argumentos contra él —dijo Van In suspirando.

—¿Qué te pareció por teléfono?

—¡Como Dios Padre! ¡El señor puede recibirme a las nueve y media porque a las tres y media de la tarde le esperan en París!

—En ese caso, mejor que vayas desfilando —dijo Versavel—. ¡A no ser que quieras que una patrulla te vaya abriendo el paso!

Las oficinas centrales de Travel, un cubo de acero y cristal reflectante, destacaban en el puerto de Zeebrugge con un mal gusto insultante. Los carteles de muchos colores que indicaban el camino hacia la empresa eran dinero por completo malgastado, porque no había forma de no ver esa mole horrorosa.

Treinta años atrás, Travel era todavía una pequeña empresa familiar. Ahora era una de las mayores agencias de viajes del Benelux. Georges Vandekerckhove había transformado la sociedad de taxis de su padre en una moderna multinacional, con una cifra de negocios de catorce mil millones de francos al año y tres mil personas en nómina. Vandekerckhove dirigía el imperio con mano de hierro junto a su hijo menor, Ronald.

Por suerte, Van In no tenía ni idea de modelos macroeconómicos ni de las duras leyes del negocio de hacer dinero. Todo eso le importaba un pito. Aparcó descuidadamente el Ford Sierra frente al edificio, justo al lado de las plazas reservadas para los directivos. Apagó el cigarrillo y cogió su abrigo del asiento de atrás.

Habían mantenido artificialmente el aparcamiento limpio de nieve. No por nada el logotipo de Travel era un sol naranja. ¡Y cuando uno organiza viajes al cálido hemisferio sur, es mejor no tener un aparcamiento que podría servir de decorado a una película sobre Amundsen descubriendo el polo Norte!

Van In entró en el vestíbulo y se presentó a la recepcionista, una barbie muy maquillada, sin duda alguna, producto de una escuela flamenca de modelos, que le saludó con una sonrisa a la americana.

—Voy un momento a verificar si el señor Georges

está en su despacho —dijo en un cultivado acento de Flandes occidental mientras apretaba los botones de su centralita telefónica. En espera de que sonara el tono, dirigió una mirada medio tímida a Van In, que instintivamente encogió la barriga.

—El señor Georges le recibirá dentro de un cuarto de hora —dijo ella dándose aires—. Si es usted tan amable de esperar un poco —añadió, señalándole un rincón con butacas adornado con falsas palmeras.

Un gran reloj, un sol naranja con manecillas azules, señalaba las diez menos veinte. Van In buscó en vano un cenicero, pero a pesar de todo encendió un cigarrillo. La Marilyn de pacotilla tosió ostensiblemente, pero no hizo ningún comentario.

El teléfono sonaba sin interrupción, y justo cuando Van In apagaba su tercera colilla en la suela del zapato, la joven le hizo una seña de que podía subir al despacho del director.

—El señor Georges se encuentra en la sexta planta —dijo con una sonrisa de anuncio de dentífrico.

Van In empujó con el pie las colillas bajo una maceta y siguió la dirección que ella le indicaba con el dedo.

Estaba claro que Georges Vandekerckhove había hecho de las oficinas centrales de Travel su tarjeta de visita. De los muros colgaban litografías de Dalí y Modigliani. También había una copia kitsch del cuadro *Iris* de Van Gogh. La paleta soleada del pintor que murió pobre significaba aquí sin embargo máquina de hacer dinero.

La inmensa alfombra con los colores de Travel, naranja y azul, se hundió mullidamente bajo las suelas de los zapatos de Van In. Los tresillos eran naturalmente de cuero, y toda la ebanistería, de madera tropical. Centenares de lámparas halógenas producían una imitación bastante lograda de la luz del sol.

Van In se anunció apretando el clásico timbre con una ventanilla verde y una roja. Pasaron más de treinta segundos hasta que la palabra ENTRE apareció en la ventanilla verde.

Georges Vandekerckhove estaba sentado tras una impresionante mesa escritorio, sosteniendo el auricular del teléfono entre la mejilla y el hombro. Llevaba el pelo peinado hacia atrás, obra sin duda de un caro peluquero, que sin embargo no había conseguido disimular su calvicie. Con un traje normal, sin su camisa a la moda, su extravagante corbata de seda y su crema de liposomas, habría parecido un oficinista cualquiera.

Sin mirarlo, Vandekerckhove le hizo señal de que se sentara.

—Egipto este año ha sido un verdadero fiasco —dijo—. En dos años, el tráfico ha descendido un sesenta por ciento. Evidentemente, eso supone un excedente de capacidad hotelera. Los hoteles de cinco estrellas trabajan en este momento por debajo de su precio de coste y ¡ni siquiera los vuelos gratuitos dan ningún resultado!

Vandekerckhove sonrió en señal de pedir disculpas y le señaló una bandeja con dos termos cromados. Con la mano que tenía libre, le tendió una taza de porcelana a Van In.

—¡Turquía, un cuarenta y cinco por ciento menos! Incluso Grecia sufre por las acciones del PKK. ¡En Rodas están desesperados después del atentado con bomba del año pasado!

Van In se sirvió café. Nada que ver con el habitual brebaje que se toma en las oficinas; inmediatamente reconoció el suave aroma del café colombiano; acabado de moler y dosificado a la perfección.

—Y en Marruecos estamos yéndonos a pique. A la que la gente oye la palabra «fundamentalismo» en la tele, sale pitando. No, Argelia, no —dijo en respuesta a una observación de su interlocutor—. Nuestros clientes no encuentran ninguna diferencia entre Argelia y Marruecos. Para ellos, una chilaba es una chilaba y un dromedario, un dromedario.

La persona que estaba al otro lado de la línea emitió probablemente una excusa, porque Vandekerckhove sonrió y siguió hablando en un tono más animado.

—¡¿Ébola?! —exclamó de repente.

Se hizo un silencio. Van In supuso que Vandekerckhove estaba recibiendo un curso acelerado sobre ese virus mortal.

—¡Bah, no te preocupes! ¡África central es un mercado pequeño! ¡Podemos muy bien permitirnos esa pequeña pérdida!

Van In miraba, dejando pasar el tiempo, por la ventana; en la lejanía un ferry luchaba obstinadamente contra la resaca.

—¡En eso tienes razón! Al final, sólo nos quedará Europa, y el viejo continente está abarrotado, amigo. ¡En España se han puesto otra vez a alquilar los establos de cabras y en la Provenza ya hay campings de dos pisos!

Van In sirvió una segunda taza de café y la puso frente al director. Vandekerckhove asintió jovial con la cabeza y tomó un sorbito.

—No, de eso no sé absolutamente nada.

La voz de Vandekerckhove se apagó. Durante una

fracción de segundo, hubo en sus ojos un brillo de inquietud.

—¡Escucha, Jean! ¡Llámame esta noche después de las 10! ¡Ahora tengo que ir urgentemente a una reunión!

No le preocupó en absoluto que Van In fuera testigo de su mentira.

—De eso me ocuparé esta tarde —dijo malhumorado antes de interrumpir la comunicación suspirando.

—¡Y en qué puedo serle útil, comisario! —dijo, cambiando instantáneamente su aire de enojo por la célebre sonrisa Travel.

—Comisario adjunto Van In, Pieter van In.

A Van In le gustaba presentarse así, sonaba un poco como «Bond, James Bond».

—¡Exacto! —dijo Vandekerckhove riendo—. ¡Siento haberle hecho esperar, aquí siempre estamos ocupadísimos!

—La señorita de la recepción también estaba muy ocupada —dijo Van In jovialmente—. Supongo que no es fácil encontrar personal que sea a la vez competente y presentable...

Vandekerckhove dejó súbitamente de sonreír. Hizo rodar su sillón hacia atrás y se cruzó de brazos, a la expectativa. Van In jugó su partida sutilmente. Vandekerckhove le había hecho esperar deliberadamente, ¿por qué entonces iba a ir él directamente al grano?

—Tiene una magnífica empresa, señor Vandekerckhove. Aparentemente, los negocios marchan bien —dijo como si no hubiera escuchado la conversación telefónica—. Pero ¿cómo podría ser de otro modo? La gente quiere viajar, sea cual sea la coyuntura económica. Las vacaciones se han convertido actualmente en un gran negocio. ¿No es verdad, señor Vandekerckhove?

—Eso espero, comisario, lo espero de todo corazón. Pero no olvide que sufrimos fuertes presiones. La competencia es despiadada y el consumidor nos hace pagar cualquier pequeño error.

El viejo zorro no flaqueaba.

—¿Pero no disponen de un seguro contra ese tipo de riesgos? —preguntó Van In, con cara de travieso.

Vandekerckhove se pasó la mano por su ralo pelo y tomó un simbólico sorbo de café sin azúcar.

—¿Supongo que no ha venido hasta aquí para reservar un viaje? —preguntó, tratando manifiestamente de llevar la conversación por otros derroteros.

—No, efectivamente, no he venido por eso —respondió Van In.

Vandekerckhove se iba poniendo cada vez más nervioso. Le temblaban las aletas de la nariz y se frotaba un pie contra el otro.

—Querría hacerle algunas preguntas en relación con la muerte de Dietrich Fiedle.

Vandekerckhove no mostró ninguna emoción.

—Pobre Dietrich. Leí algo de eso en los periódicos.

Se quitó las gafas y empezó a frotar los cristales con su corbata de seda.

—*Herr* Fiedle era un apreciado colega del mundo de los negocios —dijo Vandekerckhove sacudiendo la cabeza con aire compasivo—. ¡Si eso hubiera sucedido en Nueva York o en México ciudad, se habría podido decir que forma parte de los riesgos de la profesión, pero aquí, en Brujas!

Van In no se sentía cómodo. Al fin y al cabo sólo tenía la palabra de una puta.

—¿Puedo preguntarle cuándo vio por última vez a Dietrich Fiedle?

Vandekerckhove echó la cabeza atrás. Van In le observaba muy atentamente, porque ésta era una pregunta crucial.

—Un momento, comisario —dijo apretando el botón del interfono.

—Liliane, ¿podrías hacerme el favor de verificar cuándo estuvo aquí el señor Fiedle por última vez?

—Claro, señor —oyó que respondía Liliane.

Vandekerckhove rio distendidamente y se volvió a poner las gafas. Van In era la primera vez que veía un cebado cuervo con gafas.

—¿Va avanzando la investigación, comisario? ¿Debo suponer que disponen de algunos indicios?

Sus hinchados labios parecían dos neumáticos de bicicleta con una hendidura en el centro.

—Tenemos a un sospechoso —dijo Van In secamente—. Pero evidentemente no puedo decir ni una palabra más.

Vandekerckhove permaneció silencioso, pero por suerte le vino a salvar la respuesta de Liliane.

—La última vez que el señor Fiedle estuvo aquí fue el 15 de enero —se oyó por el interfono.

—Gracias, Liliane.

Su triple mentón tembló como un pudin sobre una cinta mecánica.

—Entonces, usted no le vio el 11 de febrero. En privado, quiero decir —preguntó Van In con voz insistente.

Vandekerckhove se humedeció los labios y apretó las manos una contra otra.

—¡Señor Van In! —dijo, insistiendo en cada sílaba—. ¡El 11 y el 12 de febrero estaba en Niza para asistir a una conferencia!

Mostraba tal confianza en sí mismo que era casi arrogante. Van In estaba perplejo. Toda su teoría se venía abajo como un castillo de naipes.

—¿Y tiene testigos que lo puedan confirmar?

—Una decena, señor Van In —se burló Vandekerckhove—. ¿Quiere que le dé nombres?

Le temblaba de nuevo el mentón, pero esta vez en sus pequeños ojos de cerdo brillaba la malicia. Con un resuelto índice apretó de nuevo el botón del interfono.

—Liliane, ¿serías tan amable de traerme las reservas y los billetes de mi último vuelo a Niza, por favor?

Vandekerckhove se recostó relajadamente en su costoso sillón de director.

—¡No se moleste, señor Vandekerckhove, le creo! —dijo Van In despreocupadamente—. Debe usted comprender que tenemos que comprobar cada una de las pistas.

—Lógicamente, señor Van In. ¿Otra taza de café o prefiere que le ofrezca algo más fuerte?

—No, muchas gracias, señor Vandekerckhove. Nunca bebo cuando estoy de servicio —dijo Van In sin ruborizarse.

—¡Qué tontería! Casi son las once, y un aperitivo todavía no le ha hecho mal a nadie.

—Mejor no, señor Vandekerckhove. Me gustaría estar en Brujas a las doce y con este tiempo no sé si lo lograré.

Vandekerckhove tenía extrañamente todo el tiempo del mundo aunque se le esperaba en París a las tres y media.

Liliane era el prototipo de la perfecta secretaria, con un elegante traje chaqueta y envuelta en una nube de Chanel N.º 5.

—La reserva y los billetes, señor —dijo discretamente—. Y una copia para el comisario —añadió antes de que nadie se lo preguntara.

—Gracias, Liliane.

La secretaria dejó los documentos en el escritorio del director y desapareció silenciosamente.

—¿Tenía problemas el señor Fiedle? —preguntó Van In de repente.

—¿Dietrich? No. ¡Si tenía enemigos, habría que buscarlos en Alemania!

Vandekerckhove le tendió la carpeta con las copias a Van In.

—Dietrich era un hombre gris. No vivía más que para su trabajo y no creo que la gente de su entorno fuera consciente de que ocupaba un puesto directivo en Kindermann. En mi opinión, le mataron por accidente.

No se mata accidentalmente, le hubiera gustado decir a Van In, pero en lugar de eso dijo:

—En todo caso, gracias por su colaboración, señor Vandekerckhove.

—Ha sido un placer, señor Van In. Y no dude en llamarme si cree que puedo serle útil en cualquier otra cosa relacionada con el caso.

Vandekerckhove se levantó y acompañó a Van In hasta la puerta, como hacía siempre que quería dar por acabada una conversación.

Van In cruzó el vestíbulo a grandes zancadas. La conversación con Vandekerckhove le había dejado perplejo. No comprendía por qué Véronique le había mentido. ¿Por qué le habría llamado? Vandekerckhove era su jefe y, dando su nombre, ella había hipotecado gravemente su propio futuro. Una palabra del director de

Travel bastaría para enviarla a ella de nuevo a la tundra. Van In arrancó una hoja de su agenda y escribió el nombre de la rusa seguido de un gran signo de interrogación. El frío glacial le cortó el aliento y se apresuró a resguardarse en su vehículo.

13

El juez de instrucción Creytens regresó a casa más pronto que de costumbre. En el tribunal a nadie le importó; en general, estaban más bien contentos de verle partir.

Después del noticiario de la tele de las siete y media de la tarde, se retiró, como hacía habitualmente, a su despacho mientras su mujer fregaba la vajilla y recogía el salón. Después ella se sentaría a mirar la televisión.

Creytens sufría de ardor de estómago. El arenque en vinagre que había tomado para cenar no le había sentado del todo bien. No obstante, no era esta frugal cena el motivo de su mal humor, ya estaba acostumbrado a comer ese tipo de porquería. Suzanne era una pesadilla en la cocina. En treinta años de matrimonio, en lo único en lo que había sobresalido era en la preparación de la sopa de sobre. La única vez que trató de hacer un verdadero asado, Creytens la vio, con todo el dolor de su corazón, tirar la carne carbonizada a la basura.

De eso hacía treinta años y desde entonces había decidido que no malgastaría ni un franco más en las experiencias culinarias de su esposa.

Creytens, entonces todavía un joven abogado, era un

hombre miserable. Su mujer pensaba que «miserable» era un eufemismo, pero al cabo de algunos meses se había acostumbrado a la situación. Ella procedía de una distinguida familia burguesa, y el matrimonio con un abogado era la única seguridad que la vida le podía ofrecer. Al mediodía, comía en un modesto restaurante de la Ezelstraat y después compraba cualquier cosa para servírsela por la noche a su marido. Así evitaba las discusiones con el que ella llamaba «el tragaldabas».

Creytens lo sabía y, al igual que su esposa, aceptaba esa paz armada. Incluso experimentaba cierto placer sabiendo que ella siempre comía fuera al mediodía.

Creytens se puso un abrigo pasado de moda y completamente gastado y verificó el termostato de la calefacción central. Dieciocho grados era más que suficiente. No entendía por qué sus empleados estaban sentados tras sus escritorios como conejos ateridos de frío. En los juzgados, por el contrario, reinaba un calor tropical de al menos veinte grados: así no era nada raro que los asuntos judiciales andaran retrasados. ¿No estaba demostrado científicamente que el calor vuelve a la gente perezosa? Creytens se sopló las manos para calentárselas y se sentó en su silla de roble. La silla crujió estentóreamente y los muelles apuntaron bajo el asiento de cuero desgastado.

Bajo la económica luz de una robusta lámpara de pie, Creytens abrió el expediente de Fiedle echándose hacia atrás en la silla. Para hacer más soportable la larga noche que se anunciaba, sacó una cajita dorada de uno de los cajones de su antiguo escritorio de forma cilíndrica.

Un fino cigarrillo procedente todavía de las pertenencias de su padre era el único placer que se permitía. Algunas de las cajitas databan de poco después de la guerra, cuando su padre, el sustituto Edgar Creytens, había descargado en su casa la mitad de un camión de mercancías confiscadas.

Creytens aspiró profundamente el sofocante humo.

—¡Dietrich Fiedle! —dijo suspirando—, ¡qué pequeño es el mundo!

Aunque en 1944 Creytens apenas tenía ocho años, guardaba un recuerdo muy vívido del padre de Dietrich. El uniforme negro, los relámpagos cosidos en las solapas y las relucientes botas abrillantadas siempre le habían fascinado. Entre noviembre de 1943 y mayo de 1944, Franz Fiedle había ido regularmente de visita a su casa.

Su padre idolatraba el nacionalsocialismo, pero había sido lo suficientemente inteligente para no tomar nunca partido abiertamente. Cuando llegaba, algo más de una hora después del toque de queda, el oficial de las SS encontraba la puerta abierta y generalmente se quedaba hasta bien entrada la noche. Los dos hombres pasaban el tiempo degustando un coñac francés y escuchando a Wagner. Nadie estaba al corriente de su discreta amistad, y fue mejor así. Después de la guerra, Franz Fiedle fue condenado a muerte en rebeldía por crímenes contra la humanidad.

Creytens hijo recordaba esos años como una maravillosa época, quizá porque *Der* Franz le obsequiaba con bombones rellenos de cereza y piña fresca.

Con una fuerte calada a su cigarrillo, el juez de instrucción revivió esos agradables momentos.

También estaba Ludwig Seiterich, *el Kriegsverwal-*

tungsrat. Al contrario que el brillante oficial de las SS, era un seco y glacial funcionario vestido con un anodino traje gris. Durante sus visitas, escuchaban a Bach y discutían sobre Hegel y Kant. Seiterich no le llevaba nunca bombones rellenos de cereza. Se contentaba con un simple apretón de manos. El único placer que le proporcionaba al joven Creytens era que esas noches le permitían quedarse levantado hasta más tarde. Si se portaba bien, le dejaban quedarse incluso hasta las diez; a esa hora tenía que acostarse irrevocablemente.

Edgar Creytens y Seiterich hablaban en francés y Creytens hijo podía seguir sin problemas la conversación, ya que como muchos de los hijos de la burguesía había sido educado en esa lengua. Su padre era un hombre cultivado y cualquiera de sus conversaciones resultaba siempre apasionante.

Creytens hojeó el expediente y se detuvo a observar las fotos de la *Virgen y el Niño* de Miguel Ángel. Recordaba todavía muy vívidamente una de las conversaciones.

Era a principios de septiembre de 1944. Los aliados habían desembarcado tres meses atrás en Normandía e iban avanzando hacia los Países Bajos. Seiterich se había mostrado toda la noche nervioso.

—Me temo que ésta es nuestra última noche juntos, mi querido Edgar.

Su padre había mandado subir una botella de champán de la bodega y habían brindado por la paz y la justicia.

—Pasado mañana quieren llevarse la estatua —dijo Seiterich después de algunas copas.

—¡Es una lástima, Ludwig! ¡¿Pero qué podría hacer yo?!

—*Mensch!* Ya no tiene ningún sentido. La guerra terminará de aquí a un par de días. Tú eres maestro de obras de la iglesia de Onze Lieve Vrouw. ¡Haz algo! ¡La Virgen es demasiado valiosa!

—¡Ludwig, no exageremos! ¿De veras crees que van a hacer tal cosa en este momento?

—¡Los nazis son capaces de todo! ¡Han saqueado la mitad de Europa! —respondió Seiterich.

—¡No me descubres nada nuevo! —dijo Edgar Creytens con estoicismo.

Seiterich sacudió la cabeza y bebió un sorbo del excelente champán.

—Tú eres un hombre influyente, Edgar. No comprendo por qué no reaccionas. ¡Llama al obispo! ¡Dile que esconda la estatua! Pronto todo habrá pasado.

—Eso sería un disparate, Ludwig.

—¿Un disparate? ¿Por qué? —preguntó Seiterich mirando a su amigo con desconfianza.

—Porque la orden de llevarse la estatua viene directamente de Berlín. Himmler no quiere que acabe en manos de judíos norteamericanos —respondió Edgar Creytens con una cínica sonrisa.

Este comentario hizo palidecer a Ludwig Seiterich.

—Probablemente te estás preguntando de dónde saco esta información.

Seiterich afirmó inexpresivamente con la cabeza. Esta conversación le parecía completamente absurda. ¿Quién era aquí el nazi?

—Supongo que conoces a Franz Fiedle —empezó Creytens prudentemente.

—*Ja, natürlich*. ¡Pero yo no tengo nada que ver con las SS!

—Ya lo sé, Ludwig. Como yo, tú eres un intelectual

que por casualidad te has visto envuelto en una guerra idiota.

Esta observación pareció tranquilizar un poco a Seiterich.

—Fiedle pertenece a una sección especial de las SS. Su presencia en Brujas no es una casualidad. Tiene el encargo de realizar un inventario de los principales objetos de arte susceptibles de ser «repatriados».

—¿Y cómo estás al corriente de esta información? —preguntó haciendo una mueca Seiterich.

Edgar Creytens inhaló el agridulce humo de su cigarrillo. Comprendía la perplejidad de su interlocutor.

—Algunos problemas logísticos han ido retrasando la repatriación de la estatua. Y como ya he dicho: ayer llegó de Berlín la orden formal. Himmler quiere ese Miguel Ángel, cueste lo que cueste. Si no le damos la *Virgen con el Niño*, amenaza con bombardear Brujas con mortero.

—*Quatsch!* Eso no puede ser verdad, Edgar. ¡La guerra está perdida! ¡Himmler seguro que tiene otras cosas en la cabeza!

Creytens se veía a sí mismo ahí sentado: escondido entre dos sillones, sorbiendo los bombones con cereza... Ya eran más de las once de la noche, y su padre no tenía ni la más remota idea de que él todavía estaba allí escuchando.

—Franz Fiedle es un buen amigo, igual que tú. No creo en absoluto que esté fanfarroneando. Le gusta Brujas y es por eso que me ha pedido que le revele el lugar donde está escondida la *Virgen con el Niño*.

—¡Pero si la estatua todavía está donde ha estado siempre! —dijo Seiterich, levantando las manos al cielo en un gesto de desespero.

—Exacto —dijo Edgar Creytens—. Así no tendrán que buscar mucho.

—¡*Mensch*!

Seiterich se apropió de la botella de champán y, saltándose las reglas de la buena educación, se sirvió una copa. Estaba muy agitado.

—Hay una cosa que debes entender, Ludwig. La *Kriegsmarine* ha recibido la orden de apuntar todos sus cañones en dirección a Brujas. La propia resistencia me lo ha confirmado.

Seiterich frunció el ceño. Poco a poco la verdad iba penetrando en su cerebro.

—Créeme, amigo —dijo Edgar abatido—. La *Virgen* de Miguel Ángel estará más segura en Alemania y, cuando la guerra haya terminado, la recuperaremos, evidentemente.

—Si algún día se llega a saber cuáles fueron las verdaderas circunstancias, nadie va a creer tu versión, Edgar.

—No te preocupes. En ese momento estaré del lado adecuado.

—Casi había olvidado que somos nosotros quienes hemos ocupado vuestro país —dijo suspirando Seiterich—. ¡Vengo a prevenirte del inminente robo de una obra de arte excepcional y tú te pones del lado del enemigo!

—Confío en Franz Fiedle —dijo Edgar Creytens terco, apagando su cigarrillo y encendiendo inmediatamente otro—. La ciudad tiene para mí más valor que una estatua, aunque sea de Miguel Ángel. La Historia juzgará si he tomado o no la decisión adecuada.

Seiterich se sentó al borde de su sillón. Desde donde estaba sentado el joven Creytens, parecía un enanito gris sentado en el borde de un champiñón seco.

—¿Por qué no me crees? —preguntó Seiterich resentido—. Yo soy *Kriegsverwaltungsrat* y te aseguro que la marina alemana nunca jamás bombardeará Brujas.

—¿De veras puedes garantizármelo, Ludwig?

Seiterich parpadeó. Desde hacía algunas semanas, todo era bastante caótico.

—La gloriosa *Wehrmacht* se retira como una bandada de pájaros al oír un disparo. Sólos las SS ofrecen todavía alguna resistencia —dijo secamente Edgar Creytens—. Soy un hombre pragmático, Ludwig. ¡Si se sienten acorralados, los fanáticos pueden hacer en veinticuatro horas más daño que un ejército disciplinado en cuatro años! ¿Sabías que las SS ejecutan incluso a los altos funcionarios que contravienen las órdenes de Berlín?

—¡Espero que la Historia te dé la razón, Edgar! —dijo Seiterich, con la respiración entrecortada—. Pero no te tomes a mal que yo escuche la voz de mi conciencia. Si tú no actúas, seré yo mismo quien tome las medidas necesarias para evitar el robo de esa estatua.

—¡Eso es muy loable, Ludwig! ¿Pero crees que alguien va a creer tu versión? Al fin y al cabo, tú mismo lo has dicho, tú eres el enemigo.

—Entonces, no puedo convencerte.

—Lo siento, Ludwig.

Seiterich se levantó, saludó envarado y apretó la mano de Edgar Creytens.

—Ya es tarde —dijo—, quizá demasiado tarde. Espero que después de la guerra volvamos a encontrarnos en mejores circunstancias —añadió en un tono melodramático.

—*Au revoir, mon ami* —dijo con sinceridad.

—*Auf wiedersehen.*

Seiterich había llegado como alemán y como alemán quería marcharse.

Edgar Creytens acompañó al decepcionado *Kriegsverwaltungsrat* hasta la puerta de entrada. El pequeño Creytens permanecía escondido en el mismo sitio como una liebre asustada. Si su padre le descubría ahora, se armaría la gorda. Quedaban dos bombones con cereza en el platito. Tenía la intención de comérselos antes de arrastrarse silenciosamente hasta su habitación.

Cuando la puerta del despacho volvió a crujir, se encogió otra vez en su escondite. Normalmente, su padre nunca volvía al despacho cuando ya se había marchado el alemán. Pero esta vez regresó, anduvo hasta el teléfono y marcó nervioso un número. En su cara se notaba la preocupación, y con los dedos daba golpecitos en *stacatto* sobre la mesa del escritorio.

—Ya sé que es casi medianoche, su reverencia, pero dígale a monseñor que es urgente.

Edgar Creytens esperó cinco largos minutos, soplando, impaciente, azules nubes de humo en el auricular del teléfono. Súbitamente, se aclaró la garganta. Tras el intercambio de fórmulas de cortesía, dijo:

—Seiterich se pondrá sin duda en contacto con usted, monseñor. Si ofrecemos la menor resistencia, reducirán la ciudad a escombros.

Edgar Creytens aprovechó el silencio que se hizo a continuación para aclararse la garganta con un sorbo de champán tibio.

—Por supuesto, la orden ya ha sido dada. Si no encuentran la estatua, atacarán la ciudad con artillería pesada —repitió su padre impaciente.

Siguió de nuevo un opresivo silencio. Edgar apagó su cigarro barato y encendió apresuradamente un Camel.

Aparentemente, el obispo consultaba con alguno de sus vicarios.

—*Merci, monseigneur* —oyó que decía de repente aliviado su padre—. Fiedle es un hombre sabio. Créame.

Creytens recordaba todavía con mucha precisión la sonrisa de satisfacción de su padre al colgar el teléfono. Después se dirigió hacia el bufete para servirse un coñac doble. El niño se había encogido todavía más y contaba atemorizado los segundos que pasaban. Le pesaban los párpados y acabó durmiéndose entre los dos sillones, dejando intactos los dos bombones con cereza.

Creytens dejó la colilla de su amargo cigarro en un viejo cenicero, montado sobre una calavera con la inscripción: *Memento mori.*

Brujas salió efectivamente indemne de la guerra, pero eso no fue ni gracias a Franz Fiedle ni a su padre. La ciudad había escapado al fuego de la artillería porque un joven capitán de la *Kriegsmarine* había decidido desobedecer la orden enviada desde Berlín. La estatua de Miguel Ángel, por el contrario, había sido llevada a un lugar seguro a petición expresa del obispo. En la noche del 6 al 7 de septiembre de 1944, una unidad especial se llevó la *Virgen con el Niño* de la iglesia de Onze Lieve Vrouw. La *Virgen* fue conducida a Mauthausen pasando por los Países Bajos para acabar en las minas de sal de Alt Aussee.

Edgar Creytens y el obispo quedaron convencidos de que habían evitado que la ciudad se convirtiera en un verdadero infierno, aunque la verdad era bien otra. Himmler no había tenido nunca la intención de salvar la ciudad de la destrucción. El bienintencionado capitán escapó por un pelo del consejo de guerra y su acto de heroísmo permaneció en secreto y sin ningún reconocimiento hasta su fallecimiento. Las verdaderas circunstancias del robo tampoco salieron nunca a la luz.

Creytens padre guardó silencio por la razón evidente de que su amistad con un alto funcionario alemán y un oficial de las SS podrían haber perjudicado su carrera. Y en cuanto a la Iglesia, en esa época todavía no necesitaba rendir cuentas ante nadie.

En 1951, Edgar Creytens fue nombrado procurador. Cuatro años después, accedió al puesto de procurador general en el tribunal de apelación de Gante.

Diez años después, Joris Creytens terminaba sus siete años de derecho en la Universidad de Lovaina. Sin el prestigio de su padre no habría terminado los estudios. Su corta carrera de abogado podía describirse con una sola palabra: miseria.

Una vez más, Edgar Creytens puso todo su peso en la balanza y su hijo llegó a ser a los treinta y dos años el juez de instrucción más joven de Bélgica, un cargo que todavía ocupaba casi treinta años más tarde.

Cuando Edgar falleció, le dejó a su inepto heredero una fortuna gigantesca. Como Creytens hijo sabía de dónde procedía el dinero, debía echar tierra sobre el caso Fiedle.

Cerró el expediente y marcó el número privado de Georges Vandekerckhove.

—¡Hola, Joris! —dijo Vandekerckhove, cogiendo automáticamente el mando del televisor y bajando el volumen.

—Se trata de Fiedle. Me temo que tenemos ciertas dificultades.

—No es posible, Joris. Nadie va a buscar nunca una

relación entre nosotros y Fiedle. ¡Yo tengo una coartada a toda prueba y tú eres intocable!

—No obstante, estoy bastante preocupado, Georges. Ese Van In tiene mala reputación.

—¿Y qué? ¡No somos nosotros quienes liquidamos a Dietrich! —dijo Vandekerckhove estallando en risas—. Y además, Leitner nos apoya. Dietrich era un factor de riesgo. Bebía demasiado y esa estúpida historia con la *Virgen y el Niño* de Miguel Ángel habría podido perjudicar a medio plazo el proyecto Pólder. Los últimos meses se pavoneaba por todas partes. Nos hemos convertido en una empresa honorable, Joris. Dietrich ponía a la organización en peligro, y eso no lo podíamos tolerar. Ese imbécil pensaba que yo había caído en desgracia y que tenía que tenderme una trampa en Brujas. ¡Era él quien debía morir, no yo!

—La operación estaba entonces planificada —dijo Creytens prudentemente.

—¡Claro, Joris! No te preocupes. ¡Ocúpate del expediente y déjame a mí lo demás!

—Espero que todo salga bien —dijo Creytens suspirando—. Estamos hasta las narices de escándalos.

—A propósito, ahora que te tengo al teléfono, la semana pasada me fotografió la gendarmería en la E40. Mi chófer tenía prisa. Creo que iba a 190.

Creytens cogió un cigarro tan seco que parecía de corcho de la cajita de su escritorio.

—Veré qué puedo hacer, Georges.

—¡Sabré apreciarlo en su justo valor, Joris! ¡Hasta la semana que viene en el club!

14

Versavel se dio un susto cuando entró en el despacho 204 a las ocho y media de la mañana.

—¿Se ha muerto Carton? —preguntó tontamente.

Van In estaba sentado frente a su procesador de textos. Manipulaba el teclado como un pianista con los dedos amputados.

—¡Todo lo contrario, Guido! La vida es bella y yo tengo ganas de vivirla.

Versavel fue a colgar su abrigo cuidadosamente en el perchero y observó a Van In con una mirada desconfiada.

—¿Te ha ofrecido Vandekerckhove un empleo?

—¡No lo adivinarás nunca! —dijo Van In riendo.

Versavel se acarició el bigote. ¡De un momento a otro, el comisario volvería a su estado depresivo, y sería él quien tendría que recoger uno a uno los trocitos que quedaran de él!

—¿Es una buena noticia?

—¡Fantásticas noticias, Guido! ¡Le he ido a hacer una pequeña visita al doctor!

—¡Ah, cuando vi que ayer no venías, pensé que habías ido a enfrentarte con Vandekerckhove.

Van In sonrió como un bebé satisfecho. Guardó su archivo apretando la tecla F7 y se cruzó de brazos.

—¡No me pasa nada, Guido! ¡Mi corazón está bien y tengo una capacidad pulmonar de seis litros!

—¡¿De aire o de humo?! —preguntó Versavel cínicamente.

Van In se levantó y se instaló en su propio escritorio. Se había afeitado bien y se había puesto por fin una camisa limpia.

—No te voy a preguntar, naturalmente, si quieres una copa para celebrar el acontecimiento —dijo en un tono frívolo.

Versavel puso cara de disgusto cuando Van In sacó una botella de Bacardí del cajón secreto de su escritorio.

—¡Efectivamente, tienes todo lo que hay que tener! —dijo, incrédulo.

Van In abrió una botella de Coca-Cola y preparó un combinado.

—¡Tengo una úlcera de estómago, Guido. Imagínate, una úlcera! El médico me ha recetado unas píldoras —dijo, señalando una cajita de Logastric que estaba encima de su escritorio—. Si me las tomo, no tengo que privarme de casi nada.

Van In encendió un cigarrillo y tomó un sorbo del combinado.

—¡Todos los borrachos tienen un ángel de la guarda! —murmuró Versavel.

—¿Qué dices?

—¡Que tienes un médico jodidamente competente! ¡Alguien que puede diagnosticar una úlcera de estómago sin hacer ninguna radiografía se merece el Nobel de Medicina!

—Tienes razón —respondió Van In eufórico—. ¡Y si

mañana me toca la Loto, todos mis problemas estarán resueltos!

—Entonces, ¿puedo hacer café?

—Justamente el médico me ha recomendado que no beba ni café ni té. Pero no me molesta en absoluto que tú hagas lo que quieras con tu salud.

Versavel se subió las mangas de la camisa y apagó su procesador de textos. Era altamente improbable que el comisario escribiera ni una palabra más ese día.

—Todavía no he recibido ninguna respuesta del *Bundeskriminalamt* —dijo de pasada—. Me apuesto el dedo meñique de mi mano izquierda que Croos tiene algo que ver en eso.

Van In utilizó la Coca-Cola que quedaba para dar un poco de color a medio decilitro de Bacardí.

—Sin contar, claro, con que nunca puedes fiarte de los alemanes —dijo con una voz pastosa que hizo que Versavel comprendiera que ésa no era sólo su segunda copa—. ¿Tienes noticias de Die Scone?

—Nada sensacional —dijo Versavel, que el día anterior había llamado al tribunal de derecho mercantil—. Según el secretario judicial, la sociedad goza de una excelente reputación. Me ha confirmado que están locos por conseguir edificios históricos.

—¡¿Y quién no?!

Van In puso los pies encima del escritorio y bostezó. Había estado alimentando efusivamente a su pequeña úlcera toda la noche y a las siete y media había ido directamente a la comisaría.

—¿Y Frenkel?

—¡Maldita sea! —dijo Versavel—. Lo había olvidado por completo. Ayer, cuando hacía un cuarto de hora que te habías ido llegó un fax de Groninga. El comisario Jasper Tjepkema, que es quien se encarga del caso, prometió que hoy se pondría en contacto contigo. La policía militar ha recibido la orden de seguirle la pista a Frenkel.

—¡Muy bien! —dijo en un gruñido Van In.

Junto a él estaba el hombre con el martillo. Un Bacardí tras otro y el confortable calorcito de la comisaría le estaban cobrando peaje. Sintió que el mentón le golpeaba contra el pecho.

—¿No sería mejor que te fueras a casa, comisario?

—¡Ni hablar, Guido! —respondió, arrastrando mucho las sílabas.

—Ya me inventaré alguna excusa —dijo severamente Versavel—. ¡Vete a casa! Duerme y ya hablaremos mañana cuando te hayas recuperado.

—¡Con una condición, Guido! —protestó débilmente Van In—. ¡Llama a Hannelore! ¡Dale las buenas noticias y dile que esta noche la quiero en mi cama!

—¡A tus órdenes, comisario!

«Sic transit gloria mundi», pensó Versavel.

El comisario Croos de la policía judicial se sonó en un kleenex húmedo. Sentía la cabeza algodonosa y estornudaba como un perro que hubiera husmeado un lugar lleno de pimienta. El nuevo sistema de aire acondicionado echaba más polvo del que aspiraba y la pila de expedientes llenos de moho producía tanto polen como un bosquecillo de sauces.

Croos arrugó el pañuelo y lo dejó a su lado. Se negaba a utilizar papel higiénico como hacían sus colegas.

El comisario lleno de mocos bebió un sorbo de café templado y se puso una pastilla de menta en la boca para neutralizar el insulso sabor a cebada quemada.

Por la mañana, había recibido un segundo expediente exhaustivo del *Bundeskriminalamt*. ¿Era porque Helmut Kohl y Jean-Luc Dehaene, el primer ministro belga, eran tan buenos amigos?, ¿o es que esos tíos trabajan siempre tan rápido?

«Los alemanes tienen la misma creatividad que las posibilidades de una piña para florecer en el polo norte, pero desde luego no se les puede acusar de imprecisos», pensó ácidamente.

En menos de una semana habían reconstruido la vida de Dietrich Fiedle, la habían puesto por escrito y le habían pagado bien a un intérprete para que la tradujera al neerlandés. Incluso habían hecho un resumen de su correspondencia.

Croos suspiró antes de que le diera otro acceso de estornudos. Las cartas y las notas personales de Fiedle contenían datos explosivos. Aunque no había estudiado historia del arte, sabía que eran pruebas muy convincentes. En ese contexto, la resolución del caso del asesinato del alemán se convertía de súbito en un tema secundario. ¡Si esta historia llegaba a manos de la prensa, Brujas iba a temblar!

Croos se limpió la nariz con el dorso de la mano, se acercó el teléfono y marcó el número de Creytens.

—Buenos días, juez de instrucción. Soy el comisario Croos.

—Buenos días, comisario —contestó Creytens con una voz tan fría como siempre.

—Le llamo en relación al asesinato de Dietrich Fiedle.

—¡Sí!

Creytens hacía todo lo que podía para mostrar cierto interés en el caso. El día anterior había recibido una nota del comisario Van In. Ese tipo inútil, que, todo sea dicho, flirteaba con una de las jóvenes sustitutas, le informaba de que había localizado a un posible testigo.

—He recibido nuevos datos procedentes de Alemania. Me temo que tenemos serios problemas.

—¿De verdad, comisario?

Creytens estudiaba las fotos que estaban sobre la mesa de su escritorio. ¡Esos malditos alemanes, siempre tan eficientes! Podía sustraer las fotos, pero un grueso dossier y una nota de un fantoche como Van In eran más difíciles de ignorar.

Croos sintió casi físicamente la repulsión del juez de instrucción. Creytens era un hombre peligroso. Tenía que estar alerta.

—¡Dietrich Fiedle escribía que poco antes de la Liberación su padre hizo transportar la *Virgen con el Niño* de Miguel Ángel a Alemania!

El juez de instrucción calló deliberadamente, silencio que Croos detestó enormemente. Bebió un sorbo de café, lo saboreó y lo encontró exquisito.

—Eso difícilmente se puede considerar relevante, comisario —dijo Creytens con arrogancia—. No entiendo por qué dramatizar tanto este detalle. Todo el mundo sabe que los alemanes bajo órdenes de Himmler evacuaron la estatua a Alt Aussee.

Había utilizado el verbo *evacuar* como si se hubiera tratado de un acto humanitario.

—Claro, señor, pero...

—¿Pero qué, comisario?

Creytens se mordió su pálido labio inferior. Su fina boca tenía una expresión terrible. Buscaba febrilmente un argumento para cerrarle la boca a Creytens.

—Según Fiedle, su padre hizo que trabajadores forzados judíos copiaran la estatua —siguió Croos volviendo a coger su pañuelo mojado—. Escribió en sus notas que los americanos encontraron una copia de la estatua en las minas de sal en...

—Alt Aussee —completó Creytens, irritado.

Se sentía a la vez asombrado y aliviado. La estatua había estado expuesta en la iglesia de Onze Lieve Vrouw desde hacía cincuenta años y nadie había visto jamás la diferencia. Y si él mantenía la boca cerrada, así seguiría siendo. A él el original le importaba un comino.

—¡¿Una copia, comisario?! ¿No creerá esas bobadas, no? Cuando fue restituida, la estatua de la *Virgen y el Niño* fue examinada por los más eminentes expertos. Miguel Ángel realizó sólo un pequeño número de estatuas, ¡ni siquiera un profano se equivocaría!

Mientras Croos trataba de rebatir toda esa palabrería, Creytens cogió una de las fotos. Era la que tenía la bellasombra en segundo plano.

—¡Escúcheme bien, comisario! Cada año algunos iluminados pretenden haber visto al monstruo del lago Ness. Hay por lo menos cinco personas que aseguran ser los herederos de los Romanov y la semana próxima venderán entradas para el concierto de despedida de Frank Sinatra. Deme una buena razón, una sola, para considerar que las elucubraciones de un viejo alemán son ciertas.

El diario de Anne Frank también hubiera sido un buen ejemplo, Creytens lo habría podido mencionar, pero se contuvo. Croos era de derechas, pero seguro que no era un revisionista.

—Las notas de Fiedle son de una extrema precisión. Menciona incluso los nombres de los presos judíos que realizaron la copia de la *Virgen*. Eso son hechos, y como tales, podemos fácilmente verificarlos.

—No se preocupe en absoluto, comisario —dijo Creytens súbitamente meloso como un gato—. Usted ha hecho un excelente trabajo. Le prometo que daré absoluta prioridad a este caso.

—El escultor se llamaba Frenkel.

—Lo tendré en cuenta, comisario.

—Según el informe de la policía, Adriaan Frenkel es una de las últimas personas que vio a Fiedle todavía con vida —añadió Croos envalentonado.

—¡Eso es una sorprendente casualidad! —dijo Creytens con una risilla nerviosa.

¡Ese maldito Van In le había proporcionado una copia de sus notas! ¡Ya se lo haría pagar!

—Frenkel es un apellido corriente —dijo despreocupadamente—. Pero tiene razón. ¡Estamos obligados a seguir el hilo de todas las pistas!

—Ningún problema, señor. Haré inmediatamente todo lo necesario.

—¡Croos! —dijo Creytens arisco. Intencionadamente, había utilizado el tono que empleaba con los criminales—. En adelante, me ocuparé personalmente de este caso. ¿Entendido?

—Claro, señor.

Croos tenía suficiente experiencia en el cargo para saber que nunca había que enfrentarse a un magistrado abiertamente. De todas formas, son «intocables» y por esa razón siempre tienen la última palabra.

—¿Quiere que congele el expediente o es mejor que lo archive como «sin continuación»?

Croos puso toda la carne en el asador para conseguir que la pregunta sonara como un desafío. Sabía que se había mostrado temerario y estaba esperando una bronca del magistrado.

Creytens sintió la sangre bullir en sus venas. Le habría gustado poder poner a Croos en su sitio, pero se contuvo justo a tiempo. Croos no era bobo. Había formulado la pregunta de un modo muy bien calculado.

—¡Ni hablar, comisario! Examinaré personalmente y a fondo ese diario.

—Como usted quiera, señor.

—Y quiero estar al corriente de todos los fragmentos que haya del diario, incluidas posibles copias.

—¿Copias, señor?

Creytens se reanimó. La consternación que había percibido en la voz del comisario parecía verdadera.

—¡Perfecto! —dijo, antes de pensar en lanzarle algún cumplido al comisario; el pueblo de a pie adora ese tipo de cosas.

—¡Veo que tiene el caso bajo control, comisario! Y me ahorraría mucho tiempo si... quiero decir si... me explicara qué es lo que hay de «explosivo» en el diario —dijo en tono amigable.

Croos tomó un sorbo del café tibio de hospicio. En ese mismo momento llamaron a la puerta de su despacho. El inspector Vermeire asomó la cabeza por la puerta.

—Comisario, la señora...

Croos hizo un gesto de negación con la cabeza queriendo decir que no estaba para nadie, orden que Vermeire aceptó a disgusto.

—Dietrich Fiedle nació el 20 de abril de 1935 en Hallstatt.

—¿No está Hallstatt en Austria? —le interrumpió Creytens.

Croos había hecho una sinopsis del diario de Fiedle y se felicitaba de haber comprobado algunos detalles.

—Adquirió la nacionalidad alemana después de la guerra —respondió orgulloso.

Creytens se echó atrás en el sillón y encendió, algo en él excepcional, un cigarrillo.

—Era hijo de Franz Fiedle y de Ilse Weiss. Franz Fiedle era militar de carrera y vivió el infierno de Poperinge a los diecinueve años. Llevaba la Cruz de Hierro con una convicción a prueba de bombas y entró en las SA a principios de los años treinta. Fiedle escapó milagrosamente de la Noche de los Cuchillos Largos y se unió a las SS en 1937. Dos años después ascendió a mayor. Como jefe de una unidad especial, durante la Segunda Guerra Mundial saqueó toda Europa. Su misión consistía en encontrar las obras de arte de gran valor. Bajo las órdenes de Himmler, desvalijó museos y colecciones privadas y cargó trenes enteros con destino a Alemania. Franz Fiedle era un hombre culto, un aristócrata de pura raza, y además, extremadamente ambicioso. Cuando obtenía lo que quería, se comportaba con gran cortesía, pero podía ser de una brutalidad extrema con aquellos que se interponían en su camino. En Rusia, por ejemplo, ordenó que mataran a más de cien personas porque en el último momento se le escapó un huevo de Fabergé.

—¿Todo eso está escrito en el diario? —preguntó Creytens con recelo.

—Sí y no —respondió Croos—. En algunos casos me he basado en el informe del *Bundeskriminalamt*.

—¡Excelente, comisario, siga!

—En Hallstatt corrió el rumor de que Fiedle había frecuentado a Hitler. Se habían conocido en el frente durante la Gran Guerra. Cuando el que se había de convertir en Führer fue herido y atendido en los alrededores de Brujas, Fiedle le visitó con frecuencia en el hospital de campaña. Aprovechó esos momentos para visitar Brujas y se enamoró de la ciudad. Después de la guerra, ambos hombres se perdieron de vista, pero, en 1938, Hitler reencontró a su antiguo camarada y le hizo formar parte del grupo de mando más cercano a él.

»Su hijo Dietrich creció en un entorno privilegiado y permaneció en la idílica Hallstatt, lejos de los horrores de la guerra. Franz Fiedle huyó a Suramérica, dejando a su mujer en la estacada, aunque le enviaba regularmente dinero para le educación de su hijo. Dietrich pudo así estudiar filología clásica en la Universidad de Múnich, convirtiéndose después en un típico ejemplo del llamado Milagro económico alemán.

»Cuando en los años sesenta la industria turística experimentó un crecimiento sin precedentes, Dietrich encontró un confortable puesto de director en Kindermann y contribuyó a que en algunos años se convirtiera en la mayor agencia de viajes de Europa.

»Dietrich permaneció soltero. Se diría que se había casado con la empresa. Con el generoso sueldo que le pagaban, podía contratar cada semana a una nueva *call-girl.*

—¡Suerte que no vivimos en Alemania! —comentó Creytens aliviado—. ¡Escuchándole, uno creería que esa gente está siempre vigilada!

—Por lo demás, Dietrich Fiedle llevó una vida de lo más banal —dijo Croos casi disculpándose.

Creytens pensó en su infancia y en el esbelto oficial de las SS, le parecía impensable que ese hombre tan amable que le ofrecía bombones con cerezas hubiera hecho fusilar a gente inocente por un huevo, aunque fuera de Fabergé.

—Estoy muy impresionado, comisario.

—Gracias, señor, pero en mi opinión el asesinato de

Fiedle sí que tiene alguna relación con la estatua de Miguel Ángel.

Creytens dejó que las fotos se deslizaran entre sus dedos. Esa historia le había trastornado. Franz siempre había negado esos actos bárbaros. El hombre Creytens empezaba a dudar. «Los dulces y los asesinatos a menudo van de la mano», pensó ansioso. Su padre siempre le había asegurado que *der* Franz sólo había robado obras de arte.

—¡Estoy impresionado, comisario! Y por eso le propongo que vaya a Hallstatt en comisión rogatoria.

«Un premio de consolación a cargo del estado belga le apaciguaría un poco», pensó.

—¡Déjeme un par de días para arreglar las cuestiones prácticas! —dijo en el mismo tono untuoso.

Croos le escuchaba con la boca abierta. Austria es un país hermoso... A su mujer no le haría mucha gracia que fuera él solo, pero ya lo arreglaría.

—También debemos tener en cuenta las implicaciones económicas, comisario. Por eso le pediría que tratara este caso *intra muros*.

Croos sonrió. ¡Por fin comprendía por qué Creytens quería echar tierra sobre el asunto! ¡El famoso «principio de oportunidad»!

Brujas sobrevive por la gracia del turismo de masas, y la *Virgen* de Miguel Ángel es una de las principales obras de su patrimonio. Quien va a París, quiere ver la *Mona Lisa* y la gente que va a Ámsterdam quiere echarle una ojeada a la *Ronda de noche*. Si el contenido del diario aparecía en la prensa, el sector turístico sufriría enormemente. El comisario comprendió de repente que un magistrado podía tomar la decisión de dejar de lado un expediente penal si las consecuencias de una posible condena de los culpables eran susceptibles de poner en peligro el bienestar de toda la comunidad. Croos debía olvidar su resentimiento, porque Creytens estaba teniendo en cuenta intereses superiores.

—Puede contar conmigo, señor. Quedará estrictamente entre nosotros —dijo dócilmente—. Será mejor que primero examinemos cuidadosamente todos los datos nosotros mismos.

—Completamente de acuerdo, comisario. Probablemente, se trata de un simple caso de homicidio, y ¿por qué íbamos a inquietar al público con el contenido de un fantasmagórico diario?

—Las masas sólo leen los titulares de los periódicos, señor, y ¡vaya usted a saber qué frases sensacionalistas inventarían los periodistas si una cosa así saliera a la luz!

—Exactamente, comisario. ¡Me alegra mucho ver que ambos estamos en la misma sintonía! Envíeme los documentos y yo le mantendré al corriente, ¿de acuerdo?

—Como usted diga, señor.

Croos colgó el auricular del teléfono a cámara lenta.

El calvo inspector dio tres cortos golpecitos en la puerta, la abrió y asomó la cabeza por la rendija. El inspector Vermeire no entendió por qué Croos tenía ahora ese aire sereno cuando sólo algunos minutos antes parecía tan furibundo.

—La señora Martens quiere hablar con usted, comisario —dijo—. Ya hace un cuarto de hora que está ahí removiendo el pompis.

Vermeire, de sobrenombre la rata, tenía cincuenta y seis años y era conocido por sus comentarios sexistas. En casa tenía una colección de revistas pornográficas, que había ido recopilando en los años sesenta cuando la policía judicial había convertido en deporte ir por ahí requisando esas publicaciones.

—¡Pero, maldita sea, hazla entrar! —maldijo Croos.

Vermeire retiró la cabeza como una morena asustada y le hizo una seña a Hannelore Martens. Ella entró con paso resuelto, ignorando la mirada lasciva del inspector.

—Buenos días, señora sustituta —dijo Croos yendo enérgicamente a su encuentro. Vermeire siguió el ritual de los saludos desde la ventana. Esa mujercita turbaría hasta a un eunuco ciego, pensó relamiéndose.

—Me ha dicho su ayudante que está muy ocupado, comisario. Así que no abusaré de su precioso tiempo —dijo Hannelore con una ironía que a Croos no se le escapó.

Llevaba un vestido negro de lana, una especie de calcetín sin pies que moldeaba las curvas de su cuerpo.

Croos le señaló con gesto galante una silla y él fue a sentarse tras su escritorio. Cogió disimuladamente el kleenex mojado y lo tiró en la papelera. Hannelore miró deliberadamente hacia el otro lado y se alisó rápidamente el flequillo con la mano. Sus cabellos cortos recuperaron rápidamente su forma inicial.

—He venido para informarme de si hay nuevos datos disponibles en relación al asesinato de Dietrich Fiedle —dijo con las piernas bien apretadas una contra la otra.

Croos bajó la mirada y bebió distraídamente un sorbo de café frío que le quemó el estómago como ácido cítrico en una herida abierta.

—Le he enviado el informe de la autopsia, señora, así como el proceso verbal de la constatación y la lista de pertenencias personales de la víctima.

Eran elementos que Croos había omitido comunicar a Creytens. Si el juez de instrucción se enteraba, se vería en serios problemas.

—Lo he recibido, comisario, pero supongo que el *Bundeskriminalamt* se ha puesto en contacto con usted —dijo ella con una sombra de burla—. Y también supongo que el laboratorio ha analizado las fotos.

—¡Las fotos! —Croos se tapó los ojos con la mano—. Las había olvidado por completo. ¡Qué estúpido! ¡Un momento, me pondré inmediatamente en contacto con Leo Vanmaele! —dijo cogiendo el teléfono.

Éste era el punto de partida del famoso *système parapluie*, un hallazgo del que los belgas tienen la patente en exclusiva. La filosofía es muy simple: si tienes dificultades, buscas un subalterno y le echas la culpa.

—No, déjelo, comisario. Estoy segura de que si tiene algo que comunicar, el señor Vanmaele llamará.

Croos se mordió el labio inferior. «¡Zorra!», pensó.

—Quizás envían a alguien en comisión rogatoria a Alemania —dejó caer, pensando que Creytens no podría reprocharle esa indiscreción.

Una comisión rogatoria necesita un documento oficial. Más tarde o más temprano, ella se habría enterado.

—¿Ha tenido un cambio de impresiones con el juez de instrucción respecto a este tema? —preguntó ella escudriñándole.

—Oficialmente, yo no sé nada —dijo, y las arrugas de alrededor de los ojos se le estiraron.

Hannelore le miró incrédula. Los policías olvidan demasiado a menudo que mienten muy mal.

—¿En ese caso, por qué saca el tema? —dijo ella cortante.

Croos trató de mirarla directamente a los ojos y sonreír con aire distendido.

—Una comisión rogatoria me parece lógica, señora. Para nosotros, Fiedle es un desconocido hombre de negocios alemán que por una u otra oscura razón ha sido asesinado en Brujas. Una investigación allí puede esclarecer las cosas.

Croos encontraba su argumento convincente. En todo caso, así podía distraer su atención, pero por la manera en que ella frunció las cejas, comprendió que no se creía ni una palabra.

—¿Y el testigo?

—¿Qué testigo, señora?

Hannelore se inclinó hacia delante y Croos se esforzó para no mirar su escote.

—¡Adriaan Frenkel! Según la policía fue él el último que vio a la víctima con vida.

Croos reprimió un suspiro. Era del dominio público que Hannelore Martens y Van In se acostaban juntos, o sea que no hacía ninguna falta que le preguntara de dónde lo había sacado.

Echándole un par de miradas desesperadas a la sustituta, el comisario trató de entender por qué esa deliciosa joven se liaba con un borracho como Van In.

—¿No han recibido ustedes el informe de la policía? —prosiguió ella—. ¡Alguien debería ponerse en contacto con ese Frenkel!

Evidentemente que debían interrogar a ese holandés, pero Creytens ya le había explicado por qué eso no era posible. Croos sabía perfectamente que las jóvenes magistradas no comprenden nada del principio de oportunidad.

—¿Se me permite señalarle a la señora sustituta que el juez de instrucción Creytens se ocupa del caso personalmente? —preguntó Croos con aire inocente—. Estoy persuadido de que él estará dispuesto a discutir el expediente con usted.

Hannelore cruzó las piernas. El vestido tenía un pliegue abierto que le llegaba por encima de la rodilla. Hannelore sabía muy bien de qué iba la cosa.

«*Tacent, satis laudant...*», oyó declamar al profesor Daems. Daems era toda una institución, al igual que Timperman. Daba clases de criminología y el aula estaba llena a rebosar cada vez que él impartía una clase.

«El silencio es elocuente»; el profesor citaba la sentencia de Terencio cada dos por tres. Corrió el rumor de que una vez le había puesto un diez a un estudiante de primer curso que a una respuesta difícil de uno de los exámenes parciales había contestado: *Tacent, satis laudant*.

—¿Puedo hacer algo más por usted, señora?

—No, comisario —respondió ella.

La anécdota del estudiante adepto al silencio la obsesionaba. Croos creyó que se estaba burlando de él, y fijó la mirada en las piernas de Hannelore. Cuando ella se levantó, permaneció clavado en la silla.

—¡Que tenga un buen día, comisario!

—¡Eso espero! —respondió él con indiferencia.

—¡Esa bruja le dejaba frío! Cuando se hubo ido, llamó a Vermeire y le mandó a comprar una botella de vodka a la tienda de la esquina.

15

—¡Hola!

Hannelore entró corriendo y le estampó un beso helado. Van In ya había dormido la borrachera y se encontraba de un excelente humor. Estaba contento de verla.

—¡Te voy a preparar un chocolate caliente! Quítate el abrigo y siéntate enseguida frente a la chimenea. Ahora traigo las tazas.

Bajo la gabardina beis, Hannelore llevaba un cortísimo vestido de seda brillante, incluso las camisetas de Van In eran algo más largas.

—¡No es de extrañar que estés azul por el frío!

No sonó como si la compadeciera mucho; cuando llevaba poca ropa, Van In no podía apartar la mirada de Hannelore.

—Cuando llamó Versavel, estaba a punto de salir hacia el teatro Korre, y allí siempre hace un calor que te asas —dijo ella excusándose—. Y además he tenido que aparcar el coche en la biblioteca Biekorf.

—Ya, ¿pero qué representa andar trescientos metros cuando se tiene una cita con Romeo? —dijo Van In riéndose burlonamente.

—¡Romeo vivía en Verona y allí casi siempre hace un poquito más de calor!

Hannelore se echó con elegancia en el sofá y se masajeó los hombros con los brazos en cruz. Van In se retiró a la cocina y echó un litro de leche en un cazo.

—Versavel parecía preocupado cuando hablé con él por teléfono —gritó ella desde el salón—. Por eso vine corriendo como una liebre hacia aquí. ¿Qué es lo que pasa?

Con el ruido de las tazas y los platillos Van In apenas la entendía.

—¿Cuándo te ha llamado Guido?

—Hace veinte minutos. Ha pedido disculpas un millar de veces.

Van In echó el chocolate negro en la leche sin dejar de remover para evitar que la mezcla se agarrara en el fondo del cazo.

Con el fuerte olor del chocolate a Hannelore se le hizo la boca agua. Con un chorrito de coñac, la mezcla podía competir con la ambrosía de los dioses griegos.

—¿Coñac? —se anticipó él, que sabía que a ella le gustaba y ya había abierto la botella.

—Un chorrito —gritó ella.

Van In no escatimaba precisamente con el coñac; si hubiera estado cocinando sobre gas seguramente habría provocado un incendio.

—¿Qué obra dan esta noche en el Korre? —preguntó Van In mientras ponía las tazas de chocolate caliente en la mesa del salón.

—*De Rafaëls*, una pieza absurda sobre unos arcángeles chiflados —a Van In le interesaba bastante poco el teatro, así que ella no quería resultar pesada contándole los detalles.

—La primera vez que oigo hablar de esa obra, ¿debe de ser una pieza moderna, no?

—Posmoderna. Por eso ni siquiera te propuse que me acompañaras.

—Perfecto, así que no hace falta que me sienta culpable de que te la hayas perdido —dijo él alegremente.

Van In se sentó a su lado y le pasó un brazo por los hombros. Fijó la mirada en las llamas sin decir ni una palabra. Versavel debería haberla informado. Los últimos días, su humor experimentaba tantos altibajos como un elástico de benji.

—¡Dime qué te pasa! —dijo Hannelore al cabo de un rato—. ¡Va! —añadió al ver que él permanecía silencioso—. Tu esclava te escucha.

Van In cogió su taza pero tuvo que dejarla otra vez inmediatamente.

—¡Esto quema!

—Todavía no —dijo ella riéndose—, pero todo se andará.

Van In dejó caer el brazo de los hombros de Hannelore fijando la mirada en las humeantes tazas de chocolate caliente.

—¡Venga ya, cuéntamelo, Pieter van In! —dijo ella con firmeza—. Estoy segura de que tienes algo en el buche.

Van In era consciente de que no tenía ningún sentido seguir enfurruñado por más tiempo, así que se aclaró la garganta. Se encontraba en una situación comprometida, ella le quería y él la había engañado.

—Sobre todo no tienes que avergonzarte —dijo ella, cogiéndole el brazo y poniéndolo sobre sus hombros—. ¡Llevas dos meses encogido como si llevaras todas las desgracias del mundo sobre tus espaldas, y ahora no me vengas con el cuento de que se trata de la crisis de los cuarenta!

Esta frase le hizo sobreponerse a su timidez; Van In se sublevó, las mujeres tenían menopausia, eso estaba claro, en cambio la crisis de los cuarenta era un invento de un puñado de feministas marimachos.

—Estoy esperando, Pieter van In.

La resuelta firmeza de Hannelore acabó de golpe con el incipiente intento de revuelta de Van In. Ahora entendía por qué los exitosos y riquísimos hombres de negocios pagan fortunas por someterse a los caprichos de una madame sadomasoquista vestida de cuero.

—Tengo graves problemas financieros... —empezó él vacilando.

Hannelore escuchó atentamente las explicaciones de Van In. Cuando él terminó, comprobó la temperatura de su chocolate cogiendo la taza con la palma de la mano y empezó a bebérselo con una glotonería a la que él no estaba acostumbrado.

—Con todos mis respetos por tu casa, Pieter, no creo que haya ningún agente inmobiliario lo suficientemente loco para aflojar cinco millones cuando podría adquirir el edificio por mucho menos en una subasta pública.

—En primera instancia yo pensé lo mismo —dijo Van In—. Pero una llamada al tribunal de comercio puso fin a todo este misterio. Die Scone no es en absoluto una inmobiliaria de tres al cuarto, forma parte de un grupo importante y... adivina quién es el accionista mayoritario.

—¿Tiene eso alguna importancia? —preguntó ella con curiosidad.

—¡¿Y si te digo que es Travel?!

Hannelore se enderezó y puso con circunspección su taza en la mesa del salón.

—¡No te creo! —dijo.

Le había subido el rubor a las mejillas y sus grandes ojos expresaban estupefacción.

—Travel es una empresa enorme, cariño. Si ellos ofrecen una suma exorbitante, es porque saben que obtendrán un beneficio.

—¡Pero el mercado inmobiliario está en plena crisis!

—Hace dos años eran los criadores de cerdos los que estaban en apuros —dijo Van In.

Hannelore frunció el ceño. No podía creer que él estuviera ya a esas horas borracho.

—¡Un momento, Hanne! ¡Deja que me explique!

—¿Acaso te he interrumpido? —dijo ella acercándose a él para hacerle un arrumaco—. ¡Dime, te escucho!

—Pues bien, hace dos años una cadena de televisión le hizo una entrevista a un criador de cerdos, un periodista le preguntaba a un granjero por qué estaba comprando masivamente cuando el precio de la carne de cerdo había bajado tanto.

—Parece un cuento de hadas moderno —susurró Hannelore, frotando la cabeza en el hombro de Van In.

—Y lo es, ¿y sabes qué contestó ese estúpido granjero?

—No.

—¡Que ahora que los precios eran tan bajos, nadie quería criar cerdos, pero que cuando dentro de unos meses la situación mejorara, todo el mundo le querría comprar a él esos jodidos cerdos!

—¿Quieres decir con eso que Travel espera que haya una demanda masiva de viviendas en Brujas?

—Ni idea, pero Travel es la mayor agencia de viajes del país y Fiedle trabajaba para Kindermann, que controla el cuarenta y cinco por ciento del mercado europeo de viajes.

Hannelore cogió su taza y bebió un sorbo de chocolate sacudiendo la cabeza.

—¿No querrás hacerme creer que existe una relación entre la muerte de Fiedle y la venta forzosa de esta casa?

Aunque pareció una observación hecha a la ligera, las palabras de Hannelore le hicieron a Van In el efecto de un escarnio. La ira le bullía por dentro. Esperaba alguna muestra de simpatía y, en lugar de eso, ella se negaba a creerle. Se apoderó de él un tremendo desaliento. Guardó silencio, su mano colgaba como un peso muerto sobre los hombros de ella.

Pero, al contrario que la ex mujer de Van In, Hannelore no era del tipo de persona que se rinde fácilmente. Él iba a empezar con sus depresiones y la noche se iría a pique.

—De todas maneras, toda esta cuestión es puramente hipotética. Esta casa no va a ser vendida por la simple razón de que mañana voy a retirar el dinero de mi cuenta, pagaré hasta la última mensualidad retrasada y, por favor, sírveme otra taza de chocolate.

La despreocupada manera en que ella había formulado esta proposición contuvo inmediatamente las oleadas de abatimiento que le habían asaltado. Por lo menos, Hannelore le comprendía. Ya era hora de que él aprendiera a controlarse.

Van In se levantó y se dirigió a la cocina.

—Se trata de más de cien mil francos, Hanne —gritó desde la cocina—. Y no tengo ni idea de cuándo podré empezar a devolverte el primer céntimo.

—¡Por cada taza de chocolate que me prepares, te descuento cincuenta francos!

Hannelore encogió las piernas y se acurrucó en el sofá. El calor de la chimenea la hacía languidecer. Tenía la intención de mimar más que de costumbre a Van In.

—De todos modos, no puedo aceptar tu proposición —no sonó muy sincero, pero a Van In le pareció que tenía que hacerse de rogar un poco.

—¿Herirá eso tu orgullo?

—¿Qué orgullo? —contestó él, tal como esperaba ella, indignado.

—¡Te conozco, Pieter van In! Sé que esto ha sido difícil para ti, pero no hacía falta que te inventaras toda esa complicada historia.

—¿Por qué dices eso? —Una vez más, Van In sentía una opresión irracional. Cerró con fuerza los labios, la respiración se le aceleró y estuvo a punto de hiperventilar.

—¡Joder, tú nunca me dejas acabar de explicarme! —chilló.

—Perdona, cariño —dijo Hannelore sorprendida por su reacción—. No quería herirte, estaba haciendo una broma, no pienses en absoluto que iba con segundas.

Se puso en pie y se apresuró hacia la cocina. Van In removía furioso el chocolate, del fuego saltaban chispas. Apenas reaccionó cuando Hannelore apretó el cuerpo contra su espalda, pero sí que la sintió, y la testosterona le ganó por muy poquito la batalla a la adrenalina. La opresión que todavía sentía en el pecho fue disipándose poco a poco y los músculos de sus mandíbulas se relajaron.

—¡No dejes quemar el chocolate, cariño, y sigue contándome!

El cuerpo de Van In se relajó. El rictus de enfado de su boca cedió paso a una incipiente sonrisa. Mientras seguía removiendo el chocolate del cazo, el fardo de preocupaciones que le pesaba sobre los hombros fue cayendo como un paquete de nieve que se derrite en un tejado caldeado por el sol.

—¡Eres impagable! —le dijo él de buen humor.

—¡Tú también! —dijo ella riéndose a carcajadas—. ¡Literalmente, impagable!

Van In no pudo hacer otra cosa que apartar el cazo del fuego y abrazarla. Ella sintió el olor del frío aire invernal caldeado y de la leña de abedul quemándose en la chimenea.

—Según algunos informadores, Travel va a fusionarse dentro de poco con Kindermann —dijo Hannelore cuando sintió que la tensión se concentraba en otra parte del cuerpo de Van In.

—Sí, eso he leído yo también, pero...

—¡No te olvides del chocolate!

A Hannelore le gustaba hacer durar los preámbulos, al fin y al cabo ya no eran un par de adolescentes.

—¡Vale, pero entonces déjame un momento tranquilo! —dijo él un poco decepcionado.

Hannelore le dio un rápido beso en la frente y regresó al salón como una remilgada Vestal.

Mientras degustaban la segunda taza de chocolate, Van In le contó su conversación con Vandekerckhove. Cuando se vio obligado a revelar cuál había sido su fuente de información, ella se soltó con un gesto rutinario el tirante del sostén.

—¿Es guapa esa Véronique?

—Bastante —dijo Van In en un tono neutro—. En una ocasión le hice un favor y...

—No hace falta que te disculpes, Pieter, te creo.

A Van In le costó tragar saliva, pero ella no se dio cuenta.

—Entonces, insistes en que existe una conexión entre el alemán y Vandekerckhove.

—Sí, eso es lo que creo.

Hannelore se frotó con el índice pensativamente entre el labio superior y la nariz, un gesto que hacía con frecuencia cuando en el tribunal escuchaba el alegato de un abogado de la defensa.

—En mi opinión, Vandekerckhove no tiene la conciencia tranquila.

—¡Bueno! Parece que en el juzgado no son del todo ignorantes —exclamó Van In, triunfante.

—En los pasillos, le llaman el Padrino flamenco —admitió Hannelore magnánima.

—Como a su comparsa, Viaene, ese barón del petróleo que traficaba con la gasolina sin plomo —respondió él despectivamente—. El señor le estafó al estado tres mil millones, y ¿cuánto le cayó?

—Tres meses de prisión condicional —dijo ella un poco avergonzada.

—Eso nunca me ha sorprendido. Es del dominio público que todos los magistrados que iban a poner gasolina en sus establecimientos se beneficiaban de un descuento de cinco francos por litro.

—Sí, es verdad —dijo ella—. Yo también pongo en mi coche gasolina de Viaene, ¿soy por eso corrupta?

—No, corrupta, no, pero sí depravada y un poquito libidinosa.

—¡Oye, cuidadito con lo que dices!

Hannelore se inclinó hacia delante y Van In pestañeó.

—¡Disculpa, un poquito depravada y muy libidinosa!

—¡Si sigues así, voy a dormir al sofá! —amenazó

ella—. Y no creas que el coñac hará que tenga más buena disposición.

—No, es el chocolate el que te hará ese efecto —dijo él con voz monótona—. ¡Ni una ostra podría resistirse a su efecto!

—¡Anda ya el jactancioso! ¡Tampoco fue tan impresionante la última vez!

El recuerdo de sus tórridos encuentros con Véronique le permitió a su ego salir bien parado del shock. Van In se rio como un gato que sabe que el veterinario que iba a castrarle se ha muerto de un infarto.

—¡Mentirosa!

Indignada, ella se acurrucó en un extremo lejano del sofá.

—Medio kilo de chocolate podría quizá, y digo quizá, tener algún efecto —se rio por lo bajo ella.

Van se puso en pie de un salto y se precipitó a la cocina.

—¡Eso tiene arreglo, señora! —gritó excitado.

Hannelore se estiró el vestido y fue tras él.

—¿Te has dado cuenta de que hay otro punto en común?

Van In vació otra botella de leche en el cazo, echó una generosa porción de chocolate a trozos y sostuvo la cuchara de madera como si fuera un arma mortal.

Las gotas de chocolate hirviendo volaban por todas partes. A Hannelore le cayeron dos encima, una en la mejilla y la otra justo bajo la clavícula izquierda. Van In las lamió como un chimpancé excitado. Ella le dejó hacer.

—¿Está bueno?

Van In soltó un bufido de aprobación, pero por lo demás se comportó como un caballero. Sabía que a ella no le gustaba cuando las cosas iban demasiado deprisa.

—Estabas diciendo que había otro punto en común —dijo él conteniéndose y cogiendo de nuevo la cuchara.

—Las estatuas —respondió ella lo más fríamente que pudo—. Están situadas una casi frente a la otra.

—¡Hanne, querida, cuánto te quiero cuando dices cosas así!

Estas palabras la hicieron ceder, no le habría importado si él se hubiera echado sobre ella en ese preciso momento, pero Van In llenó imperturbable las tazas de nuevo. Cuanto más se contenía él, más temblaba ella de la cabeza a los pies.

—Travel, Creytens y las estatuas. Y luego te vas a reír de mí.

—¡No, en absoluto, querido!

Van In cogió la botella de coñac Otard y echó los quince centilitros que quedaban en el chocolate caliente.

—Voy a dormir bien —dijo Hannelore haciendo pucheros.

Cuando oyó su tono de voz, Van In sintió súbitamente ganas de dar libre curso a su deseo de poseerla inmediatamente, sin preámbulos, como un salvaje. Hacía una veintena de años lo habría hecho sin dudar ni un momento, pero esa noche el preludio amoroso había adquirido una dimensión sagrada, era como una joya que después de ser tallada debe pulirse.

—Hay mucho poder detrás de todo esto, Hanne. Me temo que estamos tratando con gente con la que no se puede jugar.

Hannelore puso las tazas en una bandeja. Fuera, el viento soplaba con fuerza y ella se sentía muy a gusto en el calor de la chimenea.

—No comprendo por qué el *Bundeskriminalamt* no responde a mis faxes.

Hannelore se tumbó sobre un costado en el sofá y Van In se echó a su lado.

—¿Creytens?

—¿Quién si no?

—En mi opinión, nuestro amigo Croos está también bajo una fuerte presión. Este mediodía, no ha dicho ni pío. Supongo que Creytens ignora que te estás ocupando tú del asunto Fiedle.

—Le envié una nota ayer mismo —respondió Van In con una sonrisa.

—¡¿Qué?!

—Con relación a Frenkel. Me pregunto cuánto tiempo podrá retener esa información.

—Pero también habrías podido ponerte en contacto con la investigación holandesa —dijo ella sorprendida.

—También lo he hecho, querida, ¡pero de eso, Creytens no tiene ni idea!

Ella se acurrucó entre sus hombros. El chocolate se estaba enfriando en las tazas.

—¡Ten cuidado con Creytens! —advirtió ella.

—Creytens por mí puede irse al carajo. Me preocupa mucho más nuestro alcalde.

Van In le explicó el contenido de la carta dirigida a Moens y el papel de agente secreto que éste le había confiado.

—Los terroristas no escriben anónimos. Exigen una serie de reivindicaciones o mantienen una absoluta discreción.

—Don Quijote hace ya una eternidad que está muerto —dijo ella dulcemente.

Van In puso su mano fría bajo la fina tela de su vestido, y ella tembló de placer.

—¿Por qué te has enamorado de un estúpido idealista? —preguntó él gravemente.

—A veces yo me pregunto lo mismo, Pieter van In. Quizá me gustan los caballeros errantes.

La mano de Van In se deslizó un poco más arriba y quedó aprisionada a media espalda de Hannelore.

—No puedo evitarlo, Hanne. El mundo se está yendo a pique. La justicia es pisoteada y todo el mundo se regodea en su propia burbuja de lujo. He intentado adaptarme a esta sociedad de mierda.

—¡No te disculpes! Es culpa mía. No tendría que haber dudado nunca de tus buenas intenciones.

Los golpes de viento, fuera, y el juego que hacían las llamas en la chimenea eran como signos que anunciaban la beatitud que estaba por llegar.

—Gracias, Hanne.

Le oyó tragar saliva y le acarició la cabeza. Sólo cuando sintió las lágrimas de él deslizarse por su vestido, comprendió cuánto la quería.

—Tengo que confesarte algo, querida.

—¡Cállate! —susurró ella—. No quiero saber nada.

Hannelore se apretó contra él, con lo que la mano de Van In quedó liberada.

—Entonces, ¿quieres casarte conmigo?

Esta vez fue a Hannelore a quien se le llenaron los ojos de lágrimas.

—Te lo estoy diciendo de verdad —dijo él con un nudo en la garganta.

—¡Vale, porque insistes! —respondió ella.

Van In levantó la cabeza y la miró con los ojos muy abiertos. Le temblaban las comisuras de los labios.

—¿Qué esperabas que te contestara? —preguntó ella sorprendida.

Van In fue incapaz de contenerse por más tiempo:

—¡Porque insistes! *Benson im Himmel!*

Él fue el primero en estallar en carcajadas. Un segundo más tarde, caían rodando excitados del sofá.

16

Frente a la estación de Brujas, Robert Nicolaï cogió el autobús número 4 en dirección al centro. Según las optimistas estadísticas que la compañía De Lijn publicaba regularmente, el número de pasajeros había aumentado en un cuarenta por ciento tras la introducción de un nuevo plan de circulación. Probablemente, la compañía de autobuses se había basado en un único muestreo, porque Nicolaï estaba sentado en el autobús más solo que un espárrago.

La sombría estatua ecuestre del rey Alberto I parecía adquirir vida a la luz de un débil rayo de sol que conseguía colarse taimadamente entre un manto de nubes. El autobús avanzaba chirriando por encima de la nieve fangosa por efecto de la sal. Por suerte, el manto blanco que cubría los planteles, los jardincillos y los tejados estaba todavía intacto, lo que le confería a Brujas un aire todavía más romántico del que tenía habitualmente. Ese tiempo nevoso era más apropiado para los poetas y los pintores que para alguien que pone bombas y va en misión de reconocimiento.

Nicolaï no tuvo que esperar frente a la taquilla del campanario, en el primer piso, porque de entre los escasos turistas que había, sólo un puñado estaba dispuesto a desembolsar cien francos para ascender a la torre. Nicolaï se encontraba justo detrás de un anciano que compró con entusiasmo su entrada. Una clase de chicos franceses comentaba con alborozo la escena. Parecía como si estuvieran haciendo apuestas sobre si el anciano conseguiría alcanzar la cúspide o si a mitad de camino le daría un infarto.

Nicolaï pasó por el torniquete, sistema automático que servía para contar a los visitantes. Por razones de seguridad, no se permitía subir a más de setenta y cinco personas al mismo tiempo. Ese día no había ningún peligro de que se superara el máximo.

Nicolaï pidió disculpas al anciano y le adelantó porque quería ascender a la torre a su propio ritmo. Mientras subía, fue observando las cámaras de vídeo situadas estratégicamente en diversos lugares. La cantidad de cámaras se correspondía con la cifra que le habían proporcionado, y cada puerta estaba equipada con imanes, tal como le habían dicho. Efectivamente, el Belfort, el campanario de Brujas, se encontraba bien protegido.

Cuando alcanzó la última planta, Nicolaï examinó las armaduras y los bastidores del edificio en busca de detectores de infrarrojos. No encontró ninguno. Encima de la puerta de acceso había una cámara que cubría aproximadamente la mitad del espacio. Aprovechando que todavía estaba solo en la sala, sometió el ala occidental a un rápido examen. Ese lado de la torre quedaba fuera del alcance de la cámara.

Se subió encima del ancho reborde, se tendió sobre la barriga y sacó la cabeza lo máximo posible hacia fuera.

No quedó en absoluto impresionado por el muro que descendía en completa vertical. Para un escalador, ochenta metros son algo parecido al primer tramo de una escalera de mano.

Sin prestar ninguna atención al magnífico panorama, Nicolaï se concentró en el muro. Pasó la mano derecha por las piedras en busca de grietas o hendiduras. Cuando le quedó un dedo dentro de una ranura, se le relajaron los músculos. Las piedras parecían menos quebradizas de lo que se había esperado, no se soltaba ni una piedrecita.

El ruido de pasos en la escalera le avisó de la llegada de más gente. Reconoció las estridentes voces de los chicos franceses.

Nicolaï se dejó resbalar al interior y adoptó la posición de un turista típico: los codos apoyados en el desnudo reborde, admirando la silenciosa ciudad cubierta por la nieve. Esperaba que el deshielo no tardara mucho. La persona que le había contratado era formal: no podía dejar ningún rastro.

Mientras la maestra francesa loaba tiritando las bellezas de Brujas en medio del griterío de sus alumnos, Nicolaï prestó atención al muro interior.

La torre del campanario es una construcción octogonal, en cada esquina una masiva viga vertical sostiene la verdadera armadura, que a la vez está formada por ocho vigas que convergen en el punto central, apuntaladas por traviesas inclinadas, de modo que la parte apuntalada parece un enorme cadalso. El punto central está ocupado por una ventana cuadrada que abriga el gran bordón.

Para hacer volar el techo de la torre, tenía que colocar dos kilos de explosivos en la cruz de cada uno de los cadalsos. Cuando la bomba explotara, el suelo de cemento resistiría algo más que la obra de mampostería, de manera que la fuerza concentrada de la explosión haría caer los muros laterales como si fueran las paredes de la caja de un prestidigitador. En todo caso, eso era lo que había calculado un experto. Según la persona que le había hecho el encargo a Nicolaï, la intención era hacer volar sólo la parte superior de la torre, el llamado campanil, el resto debía quedar intacto.

Dos jóvenes holandesas se estaban tomando fotos una a la otra, llevaban sólo minifalda y un ligero jersey. Nicolaï no entendía cómo podían aguantar ese hiriente viento. La clase de los niños franceses permaneció en la torre hasta que el campanario tocó la media. Los chicos se tragaron los decibelios y cuando el mecanismo quedó en silencio, gritaron pidiendo más, pero la aterida maestra les hizo descender.

Jan Brouwers empezó a subir la escalera a paso lento a las cinco menos cuarto. Llevaba un mugriento quepis y un traje azul marino brillante de tan gastado. Una corbata anudada descuidadamente asomaba reglamentariamente por encima del cuello de su jersey.

—Señoras y señores —dijo con su voz estentórea—. La torre se va a cerrar, *on ferme, we are closing*, cerrado.

Quedaba todavía una decena de turistas en lo alto, entre ellos, el anciano —que había tardado una media hora en hacer la ascensión—, las dos holandesas y una pareja de ingleses.

El guarda de la torre repitió su mensaje una vez más con grandes gestos que indicaban que todo el mundo debía salir. La pareja de ingleses, que hacía sólo diez minutos que había llegado, descendió espontáneamente. Los otros hicieron como si no hubieran entendido al guarda, pero el funcionario, muerto de frío, sabía de qué iba el percal. Forzó suave pero firmemente al grupito para que se dirigiera hacia la escalera, sin hacer ningún caso de las protestas. Nicolaï se las arregló para ser el último en salir.

—Debe de ver pasar a mucha gente por aquí —dijo en holandés mientras miraba por encima de su hombro.

Jan Brouwers se alegró de oír hablar en su lengua, aunque fuera con el acento francófono de Nicolaï. Rascó el borde de su quepis y abandonó la mirada severa para dejar paso a una sonrisa distendida.

—Más de cien mil personas al año —dijo suspirando con cierto orgullo contenido—. ¡Y suerte que limitamos el número de visitantes, si no, esto parecería rápidamente la torre de Pisa! —Brouwers había hablado instintivamente con el acento de Brujas—. Ya sabe, esa torre inclinada de Italia —le aclaró con un amigable tono de omnisciencia.

—¿Y usted debe vigilarlos a todos?

—Antes sí. Pero ahora todo es electrónico. ¿Ve esa cámara de ahí? —dijo, señalándola con el dedo.

Nicolaï sabía que allí había una cámara, así que hizo todo lo que pudo para parecer sorprendido.

—Además también han puesto detectores de intrarrojos —añadió exultante—. Los han integrado en las cámaras hace apenas tres semanas.

Nicolaï asintió entusiasta con la cabeza. Ahora entendía por qué no había visto los detectores de infrarrojos. Ésta era una vez más la prueba de que no había que fiarse ciegamente de una información pretendidamente infalible.

—Bastaría con que entrara un pájaro por la ventana durante la noche para poner en marcha la alarma. Antes, había que hacer rondas nocturnas, pero ahora podemos estar tranquilos, sólo hay que subir cuando suena la alarma.

El guarda estaba disfrutando de sus explicaciones.

—¿Vive usted aquí? —preguntó Nicolaï.

—¡No, por Dios, no, gracias! Yo me ocupo solamente de la torre. Pero el conserje vive abajo, aunque me pregunto de qué sirve eso. ¡Y en cambio mira que le pagan bien! ¡Actualmente, cuanto menos haces, más ganas!

Aunque Brouwers sólo era guarda de la torre, se sentía claramente superior al conserje, para él esa clase de gente ocupaba el eslabón más bajo de la sociedad.

—¿Y nunca ha encerrado accidentalmente a alguien dentro de la torre?

—¡¿Yo?! ¡Nunca, señor! —dijo Brouwers indignado.

—¿Y no ha pasado nunca que los turistas se dejen encerrar a propósito?

—¿Quién iba a hacer eso? ¡Hace muchísimo frío allá arriba, sobre todo de noche!

—Sí, ya me lo imagino —dijo Nicolaï riendo.

A las cinco estaban todos abajo, en el patio interior del campanario. El anciano intentaba recuperar el aliento y se agarraba con fuerza a la barandilla de la escalera.

—*À propos*, ¿hay alguna buena tienda de alimentos por esta zona? —preguntó Nicolaï cuando el guarda estaba a punto de entrar a su local.

—¿Qué dice, señor?

—Una tienda para gourmets —probó Nicolaï a ver si así le entendía.

Se hizo un silencio. Brouwers miraba el amenazante cielo como si fuera a encontrar allí la respuesta.

—Una tienda donde vendan caviar —precisó Nicolaï.

—Caviar —repitió Brouwers—. ¿Esas bolitas negras que se untan en las tostaditas?

—En efecto.

—Quizás en el Nopri. No está muy lejos.

Brouwers convirtió en una cuestión de honor explicarle con todo detalle el camino a seguir.

—Puede que también lo vendan en el Profi, que está justo detrás de esa esquina —dijo con entusiasmo.

Nicolaï no insistió. Le dio las gracias y cruzó el patio interior en dirección al Oude Burg. Brouwers levantó el brazo y Nicolaï respondió al saludo agitando la mano en alto.

En realidad habría hecho mejor en callarse la boca respecto al caviar. No resultaba inimaginable que el guarda recordara después precisamente ese detalle y eso podría ser molesto. La persona que le había encargado el trabajo había sido muy claro respecto al hecho de que tenía que pasar lo más desapercibido posible.

Pero ¿y qué? ¿Qué indicios útiles podría aportar un tipo que decía detectores de «intrarrojos»? Todavía le resultaba menos posible imaginarse que un alma tan simple como ésa pudiera establecer algún tipo de relación entre un turista que le pregunta por una tienda de gourmets y un atentado con bomba. El tipo que le había hecho el encargo podía irse a la porra.

¿Fue su sexto sentido lo que en el Oude Burg le hizo girar a la izquierda en lugar de a la derecha, o es que sólo había entendido a medias las explicaciones del guarda? En todo caso, el malentendido le fue propicio. Justo frente a él, colgaba un cartel que anunciaba una charcutería fina: Delicatessen Deldycke.

—Lo siento, señor, pero no nos queda Beluga —le dijo la delgada vendedora con una sonrisa suspicaz.

Nicolaï llevaba unos tejanos muy usados y una desaliñada chaqueta de lana. No aparentaba ser el tipo de persona que quiere realmente comprar el caviar más caro.

—¿Royal Black, quizá? —preguntó Nicolaï un poco altanero; sacó un billete de diez mil del bolsillo del pantalón y lo puso sobre el mostrador.

La esbelta vendedora sonrió de nuevo, pero esta vez excusándose.

Nicolaï la miró de hito en hito. Era una chica particularmente atractiva, incluso las gafas de montura metálica y el pelo severamente peinado hacia atrás no alteraban esa impresión. Cuando se inclinó para abrir la puerta de un compacto frigorífico, mostró una espalda bien musculada y un culito anguloso.

—¿Treinta o cincuenta gramos? —preguntó, mientras sacaba dos latitas planas del frigorífico.

—Póngame ciento veinticinco gramos, por favor, son para comerlos ahora mismo.

Ella se volvió y sus ojos castaño oscuro brillaron como lentejuelas en un caro vestido de noche. Su sonrisa vacilaba entre la incredulidad y el respeto.

—No hace falta que lo envuelva, señorita —dijo Nicolaï cuando ella iba a poner la latita en una cajita de poliestireno—. En cambio, si me pudiera proporcionar una cucharilla de plástico, se lo agradecería mucho.

La servicial vendedora estaba tan impresionada que se precipitó a la cocina dejando las otras cajitas sobre el mostrador. Nicolaï observó sus piernas con atención. Encajaban perfectamente con el resto del cuerpo y no tenía esas pantorrillas abultadas como muchas mujeres que llevan tacones altos.

Cuando regresó con la cucharilla, él le dio el billete de diez mil.

—Dame cambio de cinco mil —dijo él.

Quedaban ciento ochenta francos para ella.

—Por la cucharilla —dijo él cuando ella rehusó coger la propina.

Nicolaï se puso descuidadamente los cinco billetes en el bolsillo del pantalón y se marchó hacia la puerta; al salir, sintió la mirada de la muchacha quemándole la espalda.

No había mucha gente en la Wollestraat. Cuando los museos cerraban, Brujas se convertía en una ciudad fantasma. Los escasos coches que pasaban, con los faros encendidos en la penumbra, hacían crujir la nieve. Nicolaï anduvo lentamente hacia la plaza Markt y buscó abrigo en el Vier Winden, una cafetería con una terraza caldeada con estufas. El camarero anotó de mala gana su pedido. Nicolaï permaneció allí sentado hasta que todo se sumió en la más absoluta oscuridad para poder admirar así el campanario bajo los haces de luz del alumbrado público.

El camarero sonrió tímidamente cuando Nicolaï dejó sobre la mesa el cambio, y le sostuvo ceremoniosamente la puerta abierta.

—Buenas noches, señor —dijo casi sumisamente.

Nicolaï se paseó como un turista por la Hallestraat y al final de la calle giró a la izquierda. Pasó por delante del Profi, que aparentemente era un supermercado barato, como su nombre ya hacía prever. En el mejor de los casos, lo que aquí se podía comprar eran huevas de algún pescado. Pero Nicolaï no podía recriminarle al guarda que hubiera confundido el caviar con esa porquería teñida. Pasó por varias calles laterales buscando la mejor perspectiva del lado oeste del campanario. En la Steenstraat, se sacó un largavista telescópico del bolsillo y examinó cuidadosamente los lisos muros de la torre. La primera etapa, lo había verificado en la Hallestraat, era pan comido. Gracias al canalón de desagüe, en medio minuto estaría en el techo del mercado cubierto. Para los sesenta metros restantes, tendría que utilizar sus dotes de escalador, a menos que escogiera la ruta del este. El último tramo, desde el ángulo de la torre hasta las ventanas del campanario, era la parte más problemática, ya que allí destacaría tanto como una mosca sobre una pared blanca. Una noche sin luna sería lo ideal.

Nicolaï replegó el largavistas. Si todo iba como había previsto, en veinte minutos estaría arriba. Era muy probable que pudiera hacer todo el trabajo en media hora. Con este esquema de trabajo a la vista, las tres de la madrugada parecía ser la mejor hora para iniciar la escalada. Según las estadísticas, ése era el momento en que incluso los policías más curtidos dan una cabezadita.

El inspector Vollekindt, de la célula especial de investigación, observaba atentamente al turista con el telescopio. En circunstancias normales, no le habría prestado ninguna atención a Nicolaï. Cada año hay miles de personas que miran con un largavista el campanario, pero Vollekindt había recibido instrucciones de advertir de cualquier posible sospechoso.

Sacó una Nikon compacta de su gabardina y tomó un par de fotos del turista sospechoso. La cámara llevaba un carrete de 2000 ASA, de gran sensibilidad, de modo que si era necesario podía sacar fotos a la luz de un mechero.

Vollekindt siguió discretamente a su hombre y se detuvo ante el escaparate de la librería De Reyghere. Desde esa posición, podía vigilar perfectamente al «sospechoso».

Nicolaï buscó amparo en el nicho de una de las ventanas del campanario y se instaló como un vagabundo en uno de los amplios alféizares. Echó una rápida mirada a su alrededor, pero apenas prestó atención al hombre parado ante el escaparate de la librería.

Se arrellanó confortablemente en un rincón antes de abrir la lata de caviar con el mango del tenedor. A Nicolaï esto le parecía el colmo de la decadencia. Tomó una generosa porción de su abarrotada cajita y la probó con los ojos cerrados. Las preciosas bolitas grises estallaron entre su lengua y el paladar. El perfume de nuez amarga del Royal Black era sólo el preámbulo de un refinado orgasmo bucal.

17

El comisario Jasper Tjepkema, del departamento de investigación policial de Groninga, llamó personalmente a Van In. Sabía que era sábado, pero el asunto le parecía demasiado importante para postergarlo al lunes.

—¿Hablo con el comisario adjunto Van In? —preguntó con voz muy clara y extremadamente agitado—. Se trata de Adriaan Frenkel.

—¡¿Sí, diga?! —murmuró Van In entre dientes.

Carton le acaba de leer bien leída la cartilla; al viejo no le había sentado nada bien su escapada de anoche.

—Le oigo muy mal —dijo el holandés educadamente.

Van In dio un golpecito con el dedo en el auricular.

—¡Un momento, voy a coger otro aparato!

Esperó diez segundos y se aclaró la garganta.

—¡Buenos días, comisario Tjepkema! Soy Pieter van In.

—¡Ah! ¡Ahora le oigo mucho mejor! —dijo Tjepkema exultante—. Le llamo en relación a Adriaan Frenkel.

—¿Le han encontrado?

—En cierto modo, sí —dijo Tjepkema—. Disculpe que hayamos tardado tantos días, pero estábamos vigilando su apartamento en Groninga y en los últimos días no ha sido visto por allí. Ha sido justo esta mañana cuando un inspector ha averiguado que Frenkel se había ido a su casa de vacaciones en la isla de Schiermonnikoog.

—¡Estupendo! —comentó Van In—. ¿Le han podido interrogar?

—Ése es precisamente el problema. Frenkel está muerto. Su residencia de vacaciones ardió por completo la pasada noche.

—*Benson im Himmel!*

—¿Qué ha dicho?

—¡Jesús! —tradujo Van In espontáneamente.

Tjepkema alzó las cejas, pero no añadió ningún comentario.

—Los bomberos han encontrado el cuerpo calcinado de la víctima en el salón. Sobre el motivo del deceso no sabemos todavía nada. Tendremos que esperar el informe de la autopsia.

—¡Lástima! —suspiró Van In—. ¿Han registrado su apartamento de Groninga?

—En este momento un equipo de investigadores está ocupándose de ello. En todo caso, le comunicaré inmediatamente cualquier novedad que surja.

—Muy amable de su parte, comisario Tjepkema. Me temo que Frenkel se había metido en un berenjenal. Este incendio me parece demasiado casual.

—¿Piensa usted entonces que Frenkel había visto algo que no podía salir a la luz? —concluyó Tjepkema.

—De eso estoy completamente seguro —dijo Van In—. Trataré de completar la investigación lo más rápidamente posible. En cuanto sepa algo más, le llamaré.

—Pues quedamos así, comisario Van In.

—Puedes llamarme Pieter.

—De acuerdo, Pieter. Mi nombre es Jasper. Te enviaré lo antes posible el informe de la autopsia por fax.

—Y yo te mantendré al corriente del curso de la investigación en Brujas.

—¡Muy bien! —dijo Jasper Tjepkema.

Versavel había seguido por encima la conversación. El brigadier no estaba precisamente de buen humor. Igual que a Van In, Carton le había hecho ir a su despacho para pedirle explicaciones y el viejo no había sido precisamente suave con él. Le había amenazado con ponerle sanciones si se repetían esos excesos.

—Frenkel está muerto —dijo Van In, casi con júbilo.

Versavel no respondió. Puso en marcha el procesador de textos y empezó a teclear tercamente un proceso verbal.

—¿Algún problema? —le preguntó Van In sorprendido.

Versavel interrumpió el trabajo y miró seriamente a Van In.

—Creo que sería mejor que nos ocupáramos del atentado con bomba —dijo hoscamente—. En cinco días no hemos avanzado nada y, si esto sigue así, nos caerá encima la fiscalía.

—¡Venga, Versavel! Hemos aguantado a De Kee ocho años. Ahora no vas a subirte por las paredes por culpa de Carton.

Versavel se puso a trabajar otra vez en silencio.

—¡Guido! Después de todo lo que hemos pasado juntos, ¿no irás a hacerme esto ahora?

—Hay una diferencia fundamental entre Carton y De Kee —replicó secamente Versavel—. De Kee creía que él estaba en posesión de la verdad absoluta, en cambio Carton tiene razón, Pieter. Esto va de mal en peor.

—¿Qué quieres decir? —preguntó Van In riéndose estúpidamente.

—Sabes muy bien lo que quiero decir, Pieter. Bebes demasiado. Antes respetabas determinados límites, pero desde hace un par de meses...

—¡¿Acaso uno ya no puede ni celebrar que un médico haya dictaminado que está sano?! —contestó con un bufido Van In.

—Una úlcera de estómago no es precisamente lo que yo llamaría estar sano —reaccionó Versavel.

—¡Bien! Así que en tu opinión yo desatiendo mi trabajo. El viejo Van In ya no obtiene ningún resultado y, como de vez en cuando bebe un trago, los caballeros de la moral han decretado que ya no sirve para nada. Y eso tengo yo que oírlo de boca de un...

—De un sucio homosexual —completó Versavel la frase sacudiendo la cabeza—. Estoy hasta la coronilla, Pieter.

—Entendido. ¡Y no empieces otra vez con el tema de Hannelore!

Versavel se quedó callado y siguió con su trabajo. Por fin había sacado la mala leche y le había dicho cuatro verdades. Discutir más sólo habría empeorado las cosas.

—Si al señor le parece bien, desde ahora mismo me concentraré en el caso del atentado con bomba todavía por resolver. Y como la investigación no progresará mucho si estamos aquí los dos ocupándonos del papeleo atrasado, voy a salir a la calle. ¿A menos que tú creas que el procesador de textos nos dará la clave para resolver el crimen?

Cuando Van In cerró la puerta de golpe, retumbó toda la planta. Estaba tan furioso que derribó a un joven agente al pasar.

En la sala de lectura, demasiado caldeada, un heterogéneo grupo de lectores estaba enfrascado en gruesos libros de consulta. Constituían un espléndido reflejo de la intelectualidad de Flandes: dos estudiantes un poco perdidos, un autor con calvicie especializado en literatura popular y folclore, algunas ratas de biblioteca y una señora de cierta edad que antes de empezar el curso de ikebana al que se había inscrito quería leerlo todo sobre el tema.

El bibliotecario era un joven con un perfecto aspecto de persona culta, con su barba de dos días bien cuidada y las correspondientes gafas de concha.

—¿Puedo consultar el *Brugsch Handelsblad* de 1967? —preguntó Van In sin darle tiempo al joven ni para decir buenos días.

Van In se equivocaba muy raramente al juzgar a los funcionarios, pero esta vez erró por completo el tiro. El joven se mostró particularmente eficaz y servicial.

—Claro, señor. ¿Quiere que le rellene yo mismo el formulario?

—¡Perfecto! —respondió Van In estupefacto.

No le gustaban este tipo de sorpresas. A los burócratas les corresponde ser groseros y maleducados.

—Instálese en una de esas mesas. Le llevaré los periódicos en cuanto estén disponibles —dijo el joven con una sonrisa que Van In interpretó como una señal de que lo decía con sinceridad.

No habían pasado ni cinco minutos y el bibliotecario depositó un raído y polvoriento paquete en su mesa. La cubierta, de un cartón que imitaba el mármol, olía a moho y estaba bastante maltrecha en varios lugares.

—¿Desea usted el año completo? —preguntó el joven.

Van In le miró sin comprender.

—Esto es el primer semestre —le aclaró el bibliotecario.

—Gracias, pero por el momento bastará.

Debía contentarse con los artículos de periódico de la época. En la fiscalía, el expediente del atentado con bomba era casualmente imposible de localizar. Por lo menos, eso era lo que Croos le había dicho. Van In pasó diez páginas de golpe hasta que llegó a la edición del 17 de febrero. El titular ya lo decía todo: «Una violenta explosión despierta con un susto a Brujas.»

Leyó el artículo, que ocupaba una página entera, y se exasperó por el lenguaje pasado de moda.

«En la madrugada de este lunes 13 de febrero, a punto de dar las 3, explosionó una fuerte bomba en el Burg. El artefacto estaba provisto de un mecanismo de relojería y había sido colocado en la puerta de entrada de los juzgados. Inquietos, los ciudadanos de Brujas han afluido hacia el lugar de la explosión en pijama para descubrir con estupefacción el enorme alcance del desastre.»

El periodista describía la fuerte explosión y la reacción de los ciudadanos de Brujas que habían visto interrumpido su sueño con toda clase de patéticos detalles.

«Los vitrales seculares de la basílica de Heilig-Bloed han sufrido daños inconcebibles (...). Una pérdida inmensa para la Breydelstad (...). No deben ahorrarse esfuerzos ni gastos para restaurar el fasto y la gloria de (...). El pueblo ha reaccionado con gran estupefacción ante este bárbaro acto (...). El gobernador de la provincia ha hecho acto de presencia para tomar personalmente el pulso de este auténtico drama (...).»

Van In leyó el artículo de cabo a rabo, pero no averiguó gran cosa. Las dos ediciones posteriores del semanario retomaban otra vez la información. La investigación judicial apenas avanzaba. La fiscalía había interrogado a algunos sospechosos, pero rápidamente el caso fue inquietantemente clasificado y nunca se halló a los autores del atentado. En esa época, la fiscalía de Brujas daba vueltas como un Trabant estropeado. Mucho ruido, mucho humo y muy pocos resultados. En menos de media hora, Van In había leído todos los artículos sobre el atentado.

Como no tenía ningunas ganas de regresar a la comisaría, continuó hojeando las páginas con cierta nostalgia. Al final de todo del volumen, encontró un artículo curioso.

Tras una pelea en un club de la costa, la policía había detenido a cinco gamberros. El jefe de la banda, Luigi Scaglione, esperaba ahora a ser procesado junto a sus compañeros en la prisión de Brujas. El periodista parecía aparentemente muy interesado en el caso porque lo había cubierto durante seis largas semanas. Van In se leyó todo el culebrón cada vez más asombrado.

—Disculpe, señor. La biblioteca cierra a las doce y media.

Van In echó incrédulo un vistazo al gran reloj de pared que colgaba frente a él. Era ya la una menos veinte. Miró a su alrededor. La sala estaba vacía.

—A las dos abrimos de nuevo —dijo el joven bibliotecario. Ya llevaba puestos el abrigo y los guantes.

Van In podría haber sacado la placa de policía y haberle pedido al funcionario que tuviera un poco de paciencia. En las series americanas, siempre lo hacen así.

—Perdón, no me había dado cuenta de la hora que era —se rio—. Volveré esta tarde.

Cerró el volumen y siguió al bibliotecario hasta la puerta.

—¿Quiere que le reserve todo ese año? —preguntó como si se tratara de un *best-seller*.

—Sí, buena idea. ¡Y muchísimas gracias!

Una vez fuera, Van In tuvo que acostumbrarse de nuevo al penetrante frío. Valoró la posibilidad de tomarse un par de Duvels en el Markt, pero cambió de idea. Mientras estaba leyendo, el sermón de Versavel no paraba de darle vueltas en la cabeza. Hacía ya más de ocho años que trabajaban juntos y en todo ese tiempo el tranquilo brigadier nunca le había hablado de una forma tan exaltada. Quizás era mejor que ahora se fuera a casa y que a la una y media volviera a la comisaría y le pidiera disculpas.

De repente, el sol asomó por entre las nubes. Una franja de color azul claro apareció en el cielo de un uniforme gris. Según el instituto meteorológico no cabía esperar que próximamente mejorara el tiempo. Preveían todavía como mínimo tres días seguidos de nieve.

Van In caminó bajo la brillante luz hasta la Vette-Vispoort, seguido por el sol hasta la puerta de su casa.

En la nevera encontró una lata de caballa en salsa de tomate y un plátano. Echó la caballa en un plato, cortó el plátano a rodajas y preparó un poco de café. Mientras esperaba que la cafetera empezara a borbotear, se instaló en el salón. Bajo la mesita encontró un libro. Lo cogió para colocarlo en la estantería.

—¡Vaya! —murmuró—. *Caos*...

Van In recordaba vagamente que Versavel lo había estado hojeando el miércoles mientras intentaba mantenerle a él descansando en el sofá.

Lo abrió y comenzó a leer. Con el libro en una mano

y el café en la otra fue a sentarse a la mesa. Completamente absorto por la intrigante lectura, mojó las rodajas de plátano en la salsa de tomate y lo engulló junto con la caballa. La insólita combinación le pareció deliciosa.

Ya era de noche cuando Versavel llamó a la puerta. Al no oír ningún ruido, se temió lo peor. Cuando tenía un ataque depresivo, el comisario era capaz de cualquier cosa. Por una vez deseó ardientemente que estuviera en el bar.

—¡Hola, Guido! —oyó gritar a Van In.

Versavel, que ya se estaba marchando, se dio la vuelta y vio a Van In saludándole en el vano de la puerta.

—¡Menos mal! —suspiró Versavel volviendo sobre sus pasos—. Pensaba que no estabas en casa, ya llevaba cinco minutos llamando.

—¡Entra, Guido!

Van In sostenía con fuerza el libro bajo la axila.

—Disculpa que te haya hecho esperar tanto aquí con el frío que hace.

Versavel se quitó el abrigo y Van In lo colgó cuidadosamente en el perchero.

—¿Aceptas mis disculpas por lo de esta mañana?

El brigadier se acarició el bigote y esbozó una sonrisa que Van In conocía muy bien.

—Claro que sí, comisario. Me he embalado, y como no has vuelto a la comisaría...

—¡Tienes razón, Guido! ¡Ya era hora de que alguien me cantara las cuarenta! Pero tienes que prometerme una cosa.

—Sin problemas, comisario.

Van In le acompañó al salón y encendió la luz.

—¡Prométeme que a partir de ahora me llamarás siempre Pieter! Ya hace años que estoy hasta las narices de todo ese rollo del comisario.

—A tus órdenes, Pieter —se rio Versavel.

Van In echó dos bloques de sustancia inflamable en la chimenea y puso cuatro troncos más de leña de abedul en la rejilla.

—Disculpa que este mediodía te haya dejado solo en la comisaría, pero, bien mirado, es culpa tuya —dijo mostrándole el libro—. He tenido que leérmelo de un tirón y tengo la impresión de que esta vez la ciencia del caos nos ayudará a resolver el misterio.

Versavel se sentó y miró el libro con recelo. Estaba seguro de que Van In no había bebido, pero no obstante...

—Pero, bueno, ya te lo explicaré después. Deja primero que te pase informe de mi visita a la biblioteca.

Versavel asintió con la cabeza dócilmente. Estaba dispuesto a concederle al comisario todo el crédito que fuera necesario.

—¿Te acuerdas todavía de la banda de Scaglione?

Versavel dejó el libro a su lado y frunció las cejas.

—1967, una pelea en el Knokke. Cinco hombres fueron arrestados, entre ellos Luigi Scaglione, un conocido gánster con base en Marsella —resumió Van In con voz enérgica.

—¿No se trataba de un ajuste de cuentas? —preguntó Versavel al cabo de un rato.

La leña empezaba a crepitar en la chimenea y esparcía un agradable olor a humo.

—Exactamente. Scaglione pretendía que el propietario del club le debía un millón de francos y cuando el hombre se negó a pagar, él y sus compinches le dieron una buena tunda.

—Ahora que lo dices..., ese Scaglione era un tipo muy atractivo.

—¡No lo habría dicho nunca! —suspiró Van In—. ¡Y no me hagas ahora creer que no recuerdas nada más del caso!

Van In removió el fuego y puso bien los troncos.

—Hubo algunos problemas durante el proceso. Scaglione exigió comparecer ante un tribunal francófono y creo que finalmente obtuvo lo que quería. El caso fue devuelto al cabo de unos meses al tribunal correccional de Doornik. Creo que ahí le cayeron seis meses de preventiva.

—¡Tu memoria funciona a la perfección, Guido! Según el periódico, el juez decidió el 7 de febrero que Scaglione no sería juzgado en Brujas, y el 13 de febrero explotó una bomba frente a la puerta de los juzgados.

—¡Eso no puede tener ninguna relación! ¿Por qué haría estallar una bomba Scaglione si sus exigencias ya habían sido satisfechas una semana antes?

—Sí —murmuró Van In—. Yo estaba en el mismo punto.

—Incluso si tu teoría es acertada, ¡no veo qué relación puede tener la explosión de la bomba de 1967 con el atentado a Guido Gezelle!

Van In no parecía en absoluto desalentado.

—¿Sabes quién era en 1967 el procurador general?

Versavel se acarició nervioso el bigote. Van In se estaba adentrando en un terreno peligroso.

—¡Edgar Creytens, el famoso padre de nuestro notorio juez de instrucción!

—Espero que no empieces a ver fantasmas, comi..., Pieter, quiero decir.

—¡Y eso no es todo! —siguió con entusiasmo Van

In—. Según el periódico, Scaglione era submarinista, y un tipo de su banda que tenía la lengua muy suelta le confió a un periodista que justo acababan de regresar del lago de Tiplitz.

—Con todos mis respetos, Pieter, no te sigo.

—¡Paciencia, Guido, paciencia! ¿Has visto alguna vez un documental sobre el lago Tiplitz? Algunas personas aseguran que allí está sumergido el tesoro de los Nibelungos.

—¿El qué?

—El oro de las SS, Guido.

—No lo dirás en serio.

Van In no se dejó confundir.

—La prensa alemana le dedicó bastante atención en los años cincuenta. La revista *Stern* organizó incluso una gigantesca caza del tesoro.

—¿Y encontraron algo? —preguntó Versavel lacónico.

—Cofres llenos de falsas libras esterlinas y de falsos dólares —admitió Van In con vacilaciones—. Pero donde hay humo, hay fuego.

En el mismo instante, un súbito golpe de viento cayó sobre la chimenea. A Versavel le entró un acceso de tos por el humo.

—¡Así aprenderás! —dijo Van In beligerante—. Y si hubieras sacado mejores notas en geografía, sabrías que el lago Tiplitz está a un tiro de piedra de Alt Aussee.

—¿Y qué más debería saber?

Versavel se había propuesto no mosquear a Van In.

—Que en 1945 los aliados encontraron gran parte de las obras de arte que les habían robado los nazis en las minas de sal de Alt Aussee.

—¡La *Virgen con el Niño* de Miguel Ángel! —exclamó Versavel estupefacto.

—¡Por fin! —dijo Van In.

Versavel se contentó con afirmar ligeramente con la cabeza. La historia parecía completamente increíble y la relación entre el asesinato de Fiedle y el atentado con bomba de 1967 tan inverosímil como la existencia de una historia de amor entre la princesa de Inglaterra y el vagabundo que pasaba las noches durmiendo en un banco frente al palacio provincial.

—¿Y Hallstatt no está también por esa zona? —preguntó súbitamente Versavel.

—*Benson im Himmel!* ¡Y ahora te descuelgas con eso!

—No deberías haberme acusado de ser malo en geografía —se rio entre dientes Versavel.

—¿Guardas todavía alguna sorpresa como ésa?

Versavel cogió el libro y dijo mirando fijamente la cubierta:

—Si te digo que en 1967 Bostoen dirigía la investigación, probablemente alucinarás —dijo secamente.

—¡¿Bostoen?! ¡¿El tipo de la seguridad del estado?! —gritó Van In.

—Debo añadir que después de eso hizo una carrera fulgurante —admitió humildemente Versavel.

18

El domingo por la mañana, un tremendo chaparrón despertó a Van In. El hombre del tiempo era otra vez quien iba a llevarse la peor parte: había previsto nieve. En cambio, en el dormitorio hacía un calor tropical. El termostato estaba regulado a 22 °C. Hannelore yacía sobre la colcha durmiendo como una Venus recién nacida.

Van In encendió la lamparilla de noche y salió con mucho cuidado de la cama. Ella se dio media vuelta, agarró la almohada y siguió sumergida en sueños.

Van In se acercó a la ventana y miró las oscuras aguas del Reie. Gruesas gotas de lluvia golpeaban los cristales, y el ruido del agua que caía a raudales iba acompañado de las gárgaras de las cañerías de desagüe. El agua arrastraba la gruesa capa de nieve del tejado. El blanco fluorescente de la nieve desaparecía como grasa derritiéndose y la oscuridad tomaba de nuevo posesión de las casas alineadas al otro lado del canal. Van In consultó el reloj. Eran las seis y cinco. Apenas había dormido cuatro horas. Antes de apagar la luz, posó la mirada sobre el cuerpo desnudo que respiraba silenciosamente y que olía todavía a juegos amorosos.

En el piso de abajo, Van In preparó café y encendió

un cigarrillo. Disfrutaba de esos momentos de inaprensible calma. Con los ojos entrecerrados, escuchó caer la lluvia.

Cuando el café estuvo listo, se sentó en el salón y encendió fuego en la chimenea. Introdujo en el aparato un CD grabado por los monjes de Chevetogne y se puso los cascos. Echó dos terrones de azúcar en el café y añadió un chorrito de leche cremosa.

Con las piernas sobre la mesita del salón, se dejó llevar por la melodiosa música eslava tratando de liberar la mente. Esta tranquilidad y la música ejercían en su ánimo el mismo efecto que el aire puro que había respirado diez años atrás en el cabo Norte. Los párpados le pesaban cada vez más y el crepitar de los troncos en el fuego le hipnotizaba. Justo antes de ceder al sueño, se sintió en unidad con el cosmos, con una presencia que lo penetraba todo. Por primera vez en su vida, Van In tomó conciencia de hasta qué punto su vida era insignificante.

—¡Hola!

Notó vagamente que alguien le apartaba los cascos. Hannelore estaba sentada a su lado y apretaba su cuerpo contra el de él.

—¡Despierta!

Hannelore olía al gel de la ducha. Un mechón de cabellos húmedos quedó pegado a la mejilla de Van In cuando ella le besó en los labios.

—*Benson im Himmel!* ¿Me he quedado dormido?

—Son las ocho y cuarto. ¡Llegarás tarde a la comisaría!

Van In se levantó de un salto y la miró perplejo. Ella se había puesto uno de sus pijamas sin botones.

—He preparado el desayuno —dijo Hannelore riendo.

—¡Muy amable, pero no tengo tiempo de desayunar! ¡Cierra bien cuando salgas! ¡Nos vemos esta noche!

Ella no pudo contenerse por más tiempo y se echó a reír.

—Hoy es domingo, comisario —dijo, saltando del sofá y pellizcándole la mejilla—. Los domingos no se trabaja, se está a gusto sin hacer nada y se cocina para tu mujercita. ¡Me lo prometiste ayer!

—¡Domingo! —gritó Van In.

Alzó a Hannelore y la llevó al sofá.

—*Benson im Himmel!* ¡Casi me da un ataque al corazón!

—¿Tú, problemas cardíacos? Pues no me di cuenta anoche.

—¡Ten cuidado!

La chaqueta del pijama había resbalado de los hombros de Hannelore.

—¿De qué?

—Desayunemos primero.

Se puso bien el pijama y le cogió de la mano.

Cuando Van In estaba solo, no desayunaba nunca, pero cuando la vio a ella comiendo tan a gusto se sirvió con apetito.

—*Benson im Himmel!* ¡Qué rico está esto! —dijo él entre dos bocados.

Hannelore untó mantequilla en una tostada y la mojó en el café.

—¿Cuánto hace que nos conocemos?

Van In dejó la taza en la mesa y se lamió un resto de mermelada del labio superior.

—Siete meses y diez días —dijo él tajante.

—Lo dices como un ex fumador que cuenta los días que lleva sin nicotina.

—¡Sí, es verdad! —suspiró él—. ¿Un cigarrillo?

—Luego.

Ella cogió otra tostada y le untó una pirámide de miel.

—Hay algo que siempre he querido preguntarte.

—¿Doy la impresión de ser una persona que guarda secretos?

—Pues, bien —dijo ella dubitativa—. Puede que sea una pregunta estúpida, pero, por Dios, ¿qué significa *Benson im Himmel*?

Van In se echó atrás por efecto de la sorpresa; se esperaba por completo otra pregunta.

—¿De verdad quieres saberlo? —dijo aliviado.

—Hummm —asintió con la cabeza Hannelore.

Van In se sirvió otra taza de café y le ofreció un cigarrillo.

—No es algo que me guste admitir, pero mi abuela tuvo, justo antes de la Primera Guerra Mundial, una relación con un alemán. El tipo se llamaba Karl Schumacher.

—¡Qué pequeño es el mundo! —dijo Hannelore suspirando.

—¡No te rías! —amenazó Van In—. No es porque mi abuela saliera con un alemán que yo...

—¡Continúa! —le interrumpió ella impaciente.

Van In removió pensativo el café con la cucharilla.

—Evidentemente, esa relación se rompió, pero después de la guerra Karl Schumacher hizo de nuevo aparición. Mi abuela ya estaba por entonces casada, pero él siguió siendo un amigo de la familia.

—Pieter —le suplicó ella—. ¿Quieres, por favor, ir al grano?

—Mi abuelo era un hombre muy tolerante —siguió él imperturbable.

—¡Pieter van In, te lo suplico!

—Schumacher iba siempre por Navidad a comer a su casa y cuando habían terminado la comida y mi abuela le preguntaba si le había gustado, él siempre respondía: *Ich bin schon im Himmel*; en otras palabras, «estoy en el paraíso».

—¿Eso es todo? —preguntó Hannelore decepcionada.

—Según dice mi madre, el alemán decía esa frase en cada acontecimiento memorable. Y yo, de niño, transformé la frase en *Benson im Himmel*. Pero tranquila, a partir de ahora no lo diré más.

—¿Por qué?

Van In inspiró profundamente y echó el humo por la nariz.

—Muy sencillo —dijo él con chispitas en los ojos—. Mi paraíso eres tú.

Robert Nicolaï empezó el día con su rutina habitual. Se ejercitó durante casi media hora en el sofisticado aparato de *fitness* antes de lavarse concienzudamente con jabón bajo la ducha fría. Todo masoquista que se precie sabe que el agua helada puede hacer experimentar al cuerpo una cumbre de inigualable placer. A Nicolaï le gustaba el dolor que precedía a este éxtasis. Cuando escalaba una pared infranqueable, esperaba con impaciencia el momento en que el dolor de sus dedos fuera intolerable.

Bajo la ducha, se frotó enérgicamente su musculoso cuerpo con un áspero cepillo. La sangre empezó a calentarse y no cerró el grifo hasta que tuvo la impresión de que el agua salía caliente. Después, se secó cuidadosamente, se puso unos calzoncillos limpios y acabó su sesión de ejercicios con cien flexiones ante el espejo.

Desayunó zumo de frutas, huevos duros, cereales e hígado de pescado. En la calle, el primer tranvía dejaba un rastro en la nieve acuosa. No necesitó descorrer las cortinas para saber que había empezado el deshielo.

Nicolaï degustó el desayuno reflexionando en el día siguiente. Había preparado la operación hasta los más mínimos detalles y, de hacer caso a las previsiones que los meteorólogos habían hecho esa misma mañana, el norte de Europa iba a disfrutar los próximos días de un favorable anticiclón. Para celebrarlo, Nicolaï encendió un cigarrillo, como hacía siempre antes de un golpe importante.

Pasó el resto de la mañana preparando su equipo de escalada: un verdadero escalador verifica siempre cuidadosamente su material.

Nicolaï era un perfeccionista. Empezó colocándolo todo frente a él. Desenrolló el cable de nilón y comprobó la resistencia de la cuerda en una viga del desván. Lo sometió a un riguroso examen, sin apresurarse. Después, le llegó el turno al arnés. Inspeccionó también los mosquetones y los *friends*.

Nicolaï pensó en si llevarse polvo de magnesio; podía dejar rastro, pero era un riesgo que debía asumir. Cuando hubo comprobado todo el material, se vistió. Por la noche llamaría a la persona que le había hecho el encargo. La noche del miércoles al jueves parecía el momento ideal para afrontar la escalada.

Herr Leitner estudió las caras de los hombres sentados a la mesa. Ernst Vögel, un cincuentón corpulento de gruesas mejillas veteadas de venitas, mordisqueaba un cruasán y después de cada mordisco recogía las migas de la mesa. Vögel era el sucesor de Fiedle como responsable del Benelux.

Klagersfeld, el secretario general de la sociedad, removía su café con la gracia de una momia acabada de resucitar. Heinz Witze, responsable de finanzas, se sentaba justo enfrente de Leitner. La muerte de Fiedle encajaba a la perfección en su estrategia. El pesado contable no había tratado nunca de ocultar que la aventura de Brujas le parecía a medio plazo una mala inversión. Scaglione había resuelto el asunto de manera magistral y el ambicioso Vandekerckhove estaba convencido de que había actuado bajo las órdenes de Leitner.

Un viejo estaba sentado junto a la ventana en una silla de ruedas.

—La operación Canal Grande se encuentra en una fase decisiva.

Otto Leitner puso las palmas de las manos en la mesa como si fuera a levantarse. Vögel le lanzó una mirada de compasión: por la manera en que el *imperator* se doblaba hacia delante, era evidente que volvía a tener problemas de hemorroides.

—Dentro de dos semanas, el pleno del ayuntamiento de Brujas volverá a reunirse para tratar el tema del proyecto Pólder y nada parece presagiar que la actual coalición dé el visto bueno a nuestros planes.

Witze sacudió la cabeza y tomó un par de notas. Manfred Klagersfeld trató de descifrarlas sin ponerse las gafas.

—La próxima fase nos costará un mínimo de cinco

millones de marcos —dijo Witze sin cambiar el tono de voz. Al contrario que los demás, tras catorce días en las Antillas francesas, tenía un aspecto formidable.

—¡*Ach*, Heinz! Siempre vuelves a lo mismo —contestó Vögel enojado—. ¿Qué son cinco millones? ¡La región de Brujas vale cien veces más! ¡Sin contar que obtendremos el puerto de rebote, y sabes tan bien como yo lo importante que es Zeebrugge!

—Sin olvidar el valor añadido de los inmuebles que hemos adquirido, Heinz —dijo Leitner con una sonrisa crispada.

Seguía con las manos apoyadas en la mesa, buscando en vano una posición más confortable.

—Doscientas viviendas restauradas, Heinz, con un valor añadido de al menos veinticinco mil marcos cada una. Sólo con eso, ya recuperaríamos los costes extra —dijo Klagersfeld—. ¿No te parece suficiente para reconstruir un trocito de torre?

Witze se peinó hacia atrás su ralo pelo con la mano.

—Nadie puede garantizarnos que el atentado al campanario asustará a los ciudadanos de Brujas —protestó él—. ¡No podemos hacer saltar por los aires todos los monumentos de la ciudad!

—¿Por qué no? —objetó Klagersfeld levantando un huesudo dedo—. ¡No comprendo por qué estás siempre buscando problemas, Heinz! ¡No olvides los tres mil apartamentos nuevos! Con el beneficio que obtengamos de ellos, podemos, si es necesario, reconstruir la mitad de Brujas. ¡Fíjate en Varsovia! ¡Ningún turista nota la diferencia!

—¡Señores, señores! ¡Actuemos de forma unánime!

Konrad von Metternich no tenía necesidad de alzar la voz. La asamblea quedó instantáneamente en silencio.

El viejo hizo avanzar su silla de ruedas hasta la mesa de conferencias.

—Somos una empresa en expansión —les amonestó—. Nuestro principal objetivo es obtener beneficios. Necesitamos los Países Bajos, y Flandes es un excelente trampolín.

Todos asintieron con la cabeza en señal de aprobación. Von Metternich era una leyenda viva. Su tío abuelo había sido uno de los fundadores de la empresa y, aunque oficialmente no se ocupaba de ninguna función en concreto, nadie osaba llevarle la contraria.

—Por otro lado, si he comprendido bien, será Travel quien pagará la restauración del campanario.

—¡Con nuestro dinero! —dijo Witze con amargura.

—Creo que nuestro venerable colega Von Metternich tiene razón. ¡Cinco millones no nos harán disuadir de llevar a cabo nuestros proyectos!

—¿Y si el campanario queda totalmente destruido? —preguntó Witze con escepticismo.

—En tal caso, serían los flamencos quienes pagarían la factura —dijo Klagersfeld—. Fiedle había previsto esa posibilidad. El hombre que va a poner la bomba es un valón. Una hora después del atentado, la policía recibirá un soplo y el pobre hombre será arrestado. Según el escenario que había ideado Fiedle, la justicia belga pondrá este atentado en relación con el MWR, un movimiento extremista valón.

—¡¿Y tú crees que puedes enemistar a los flamencos y los valones?! —preguntó Witze incrédulo.

—No esperamos desencadenar una guerra civil, pero el proceso provocará suficientes disturbios —dijo sonriendo Leitner—. Fiedle era un genio. Incluso si su primer plan falla, sacaremos provecho del segundo.

—Pero no hará falta que lleguemos tan lejos —aseguró Klagersfeld—. ¡El proyecto Pólder no puede fracasar! Los análisis de los últimos años son muy claros. La mala política turística de Brujas obligará a la ciudad a subir todavía más los impuestos en los próximos años. ¡Ahora mismo ya tiene que afrontar una deuda de cuatrocientos millones de marcos, y la privatización está de moda!

—¡Me temo que estáis subestimando a los ciudadanos de Brujas! No puedo imaginarme que abandonen masivamente la ciudad para ir a establecerse a los pólders —insistió obstinado Witze.

—Ya verás que no dudarán en hacerlo si al principio mantenemos bajo el precio de los alquileres —dijo Leitner—. Para la mayoría, la ciudad ya resulta ahora invivible.

Konrad von Metternich removió el contenido de su vaso y bebió un sorbo de zumo de piña fresco. El viejo estaba harto de la discusión. Dio unos golpecitos con su cucharilla de plata en el vaso.

—Dietrich Fiedle ha preparado cuidadosamente esta operación —dijo con convicción—. El anterior pleno municipal le prometió su colaboración, pero nadie podía prever que las elecciones nos aguarían la fiesta. El nuevo alcalde rechaza nuestro proyecto, pero ni siquiera él puede anular ciertas decisiones. El plan de circulación que *Herr* De Kee y *Herr* Decorte impusieron a la ciudad está dando sus frutos. Los comerciantes históricos de Brujas están abandonando la ciudad. Los precios de los alquileres bajarán, y eso nos permitirá adquirir bienes inmuebles. Éste es el punto número uno. Varios estudios han demostrado que la mayor parte de la gente de Brujas soporta cada vez peor la afluencia de turistas. La ciudad vive doblada bajo ese peso y ya nadie se siente en casa. Éste es el punto número dos. Crear una ciudad dormitorio con viviendas modernas se impone como una evidencia. En Venecia se aplicó exitosamente esta solución. La ciudad se convirtió en un museo al aire libre sin habitantes, y eso es exactamente lo que a nosotros nos conviene. La diferencia con Venecia es que allí nosotros no tenemos ni voz ni voto. En Brujas, la situación se nos presenta de otra manera. La ciudad está en quiebra y la demanda de museos históricos al aire libre es ahora mayor que nunca. Algunos atentados con bombas pueden hacer decantar la balanza hacia nuestro lado. Nadie tolerará un estado de sitio y cuando la ciudad quede vacía, señores, ¡nuestro patrimonio valdrá su peso en oro! ¡Conozco a un montón de europeos dispuestos a desembolsar una fortuna para poseer una casa en Brujas! Y éste es el punto número tres.

—*Herr* von Metternich tiene toda la razón —dijo Leitner—. Yo mismo no habría podido esbozar mejor la situación.

Klagersfeld y Vögel asintieron con la cabeza en un gesto de aprobación.

—Con todos mis respetos, *Herr* von Metternich, creo que nos olvidamos de un importante elemento —dijo Witze, quitándose las gafas y dirigiendo una vaga mirada a la asamblea—. El éxito de la operación depende esencialmente de Vandekerckhove. Fiedle lo había organizado todo con él y nadie sabe exactamente cómo habían planeado que se desarrollara la última fase.

—¡Bombardearla! —dijo Klagersfeld—, y quedará rendida a nuestros pies.

—Excelente idea, Manfred.

Leitner tomó nota.

—¿De acuerdo, entonces?

Ni siquiera Witze puso ninguna objeción más. Había perdido la partida. La muerte de Fiedle no había resuelto nada. Von Metternich había puesto sus miras en Brujas y habría sido una estupidez oponerse abiertamente a los planes del viejo.

19

—¡Buenos días, comisario Van In!

El alcalde Moens firmó rápidamente una carta trivial.

Van In le saludó cortésmente y se sentó en la silla que éste le había indicado.

—¿Buenas noticias? —preguntó el alcalde esperanzado. Hizo rodar su butaca hacia atrás y cruzó distendidamente las piernas.

—Dejémoslo simplemente en noticias, señor alcalde.

Moens, que estaba hurgándose la nariz, le hizo con la cabeza el gesto de que siguiera.

—El viernes recibimos un expediente de la Seguridad del Estado, pero me temo que con eso tampoco hemos avanzado mucho.

Moens dejó de ocuparse de su apéndice nasal como si se hubiera dado cuenta de repente de que no estaba solo en la habitación.

—De todos los grupos susceptibles de ser peligrosos para la seguridad pública, sólo uno corresponde al perfil que estamos buscando: el Mouvement Wallon Révolutionnaire, el MWR, en siglas, o en otras palabras, el Movimiento Valón Revolucionario. En el otoño de 1976, un informador de la Seguridad del Estado oyó casualmente una conversación en la salita trasera de un café de Lieja.

Cuatro estudiantes se lamentaban de ver cómo la rica Flandes avasallaba económicamente a la empobrecida Valonia. El motivo de la conversación era la venta de un hotel de lujo de la ciudad de Spa a un tipo de Ostende. El nuevo propietario había reemplazado inmediatamente el personal valón por empleados flamencos con el argumento de que los valones no hablan suficientemente bien el neerlandés y de que además eran demasiado perezosos para trabajar.

—No puedo sino darle la razón a ese hombre —dijo Moens sonriendo.

Tenía una casita en las Ardenas y, como flamenco convencido que era, pensaba que los valones se merecían que les pagaran con la misma moneda. ¿No habían ellos aterrorizado a los obreros flamencos durante más de un siglo imponiéndoles el francés?

—Estimaban, en todo caso, la situación preocupante —siguió imperturbable Van In—. Tenían miedo de la inminente federalización del Estado y creían a pies juntillas que la autonomía de Flandes refrenaría el flujo de dinero hacia Valonia. Después de algunas Westmalles, una cerveza flamenca, todo sea dicho, decidieron iniciar la lucha contra el colonialismo de Flandes. Su idea era organizar actos terroristas siguiendo el modelo de las Células Comunistas Combatientes para sacudir así a la opinión pública. El informador tomó nota de la conversación y se la comunicó a su contacto en la Seguridad del Estado.

—¿Y no le parecen a usted eso buenas noticias? —dijo Moens con las cejas fruncidas.

—El problema es que el MWR nunca más hizo nada que no fuera repartir panfletos y organizar un par de reuniones a las que asistieron cuatro gatos. Entre 1976 y 1979, fueron sospechosos de haber provocado varios incendios en inmuebles flamencos de la región de Lieja, pero la policía judicial no pudo demostrar nunca su implicación.

—¡Evidentemente! —dijo—. ¡Ya se ocuparon bien ellos de tapar el asunto!

Van In no tenía ningunas ganas de entrar en una discusión política.

—Como medida de seguridad, hemos comprobado todas las coartadas de los miembros fundadores del MWR —dijo con cansancio—. Claude Dufour es ingeniero y trabaja para una gran empresa de construcción de Bruselas. En estos momentos está en una misión en Kuwait. Jacques Hendrix es profesor de ciencias de la comunicación en la Universidad de Louvain-la-Neuve, tiene sida y recibe el tratamiento allí.

—Típico de un tipo que da clases de comunicación —comentó Moens sarcástico.

Van In tampoco respondió. Ya sabía desde hacía mucho tiempo que los políticos son muy diferentes a lo que muestran a los electores.

—Grégoire Bilay es un alto funcionario del Ministerio de Sanidad pública y Alain Parmentier entró el año pasado en la orden de los dominicos.

—¿Y los otros?

—No hay más, señor alcalde. Después de 1979, nadie ha oído hablar del MWR. Aunque, para ser más preciso, debo añadir que Bostoen, de la Seguridad del Estado, sospecha que alguien ha insuflado nueva vida al grupúsculo. Según él, estaría relacionado con el incidente del 11 de julio. En los últimos meses se han encontrado algunos panfletos subversivos en varios lugares de Valonia.

Moens estaba tan resplandeciente como un candidato que finalmente ha sido contratado después de treinta y seis exámenes psicológicos. El incidente del 11 de julio le había quedado grabado a fuego en la memoria. Ese día, el rey había cantado en Brujas el *Vlaamse Leeuw*, el canto de los nacionalistas flamencos, frente a las cámaras de la televisión nacional.

—¡No sea usted modesto, comisario Van In! —dijo sacudiendo la cabeza—. Esto es un gran avance en la investigación.

—No lo creo, señor alcalde —dijo Van In terco—. Los terroristas siempre reivindican sus acciones.

—¡Bobadas! ¡Mire lo que pasa en Estados Unidos y en Japón, comisario!

—Se trata de fanáticos o de fundamentalistas —respondió Van In, omitiendo intencionadamente las palabras «señor alcalde»—. En mi opinión, aquí están en juego otras motivaciones.

Moens hincó los codos en su escritorio y dirigió una mirada glacial a Van In.

—Mi tarea consiste en darles a los ciudadanos un sentimiento subjetivo de seguridad. En unas horas, estarán aquí las cámaras de la televisión nacional. Tengo la obligación de anunciar el progreso de la investigación. ¿Sabe cuánta gente ha anulado ya las reservas para las vacaciones de Semana Santa?

—No tengo ni idea —respondió Van In con apatía.

—¡El treinta por ciento! Si no conseguimos que se calmen los ánimos, me temo lo peor.

—La eventual existencia del MWR no va a cambiar las cosas —dijo Van In con bastante brusquedad—. No olvide que los valones también son potenciales visitantes.

Fue como si alguien hubiera abierto todas las ventanas a la vez. La temperatura del acogedor despacho bajó de repente diez grados. No obstante, Van In sabía que no podía llevarle la contraria al alcalde. El pobre hombre necesitaba demostrar que la investigación avanzaba y trataba desesperadamente de proteger a la ciudad de una catástrofe mayor.

Moens respiró profundamente, dispuesto a echar toda su cólera sobre el rebelde comisario. Justo en ese momento sonó el busca de Van In.

«¡Salvado por la campana!», pensó Van In, y retiró todo lo malo que había dicho en su vida sobre ese irritante aparato del demonio.

—¡Disculpe, señor alcalde! ¿Desde dónde podría hacer una llamada?

Moens le señaló el aparato de su escritorio y le cedió su lugar. En el jardín, una bandada de gaviotas se peleaba por un trozo de jamón seco.

Van se alegró cuando reconoció la voz de Versavel.

—Vuelvo lo más rápido posible, Guido. No, no vale la pena que me envíes un coche. Voy corriendo.

Moens oyó que colgaba el teléfono y se volvió.

—¡Hay novedades! —dijo Van In, con una expresión tensa—. Parece que la investigación holandesa dispone de información valiosa.

—¿Pues a qué espera, comisario? —dijo Moens irritado.

Se dieron la mano educadamente y Van In salió pitando. En el pasillo, se cruzó con Decorte. El regidor de Turismo no se dignó mirarle.

—¡Has llamado en el momento preciso, Guido! —exclamó Van In resoplando después de haber recorrido la distancia entre el ayuntamiento y la comisaría en menos de diez minutos.

—Tjepkema ha dicho que era personal —respondió Versavel sin comprender lo que decía Van In—. Enviará un fax en cinco minutos.

Van In se moría de ganas de una copa, pero dejó la botella quieta en el cajón secreto. Para consolarse, encendió un cigarrillo. No había dado ni tres caladas cuando el fax empezó a sonar. Tjepkema era puntual como un reloj.

Cuando Van In leyó las primeras líneas del documento, comprendió por qué su colega había tenido la precaución de llamar antes de enviarlo. Era material explosivo.

La escritura era temblorosa, pero revelaba incuestionablemente el nivel cultural de su autor. Las pequeñas letras eran muy regulares y las líneas perfectamente horizontales.

«Steiner observaba desde el vano de la puerta, con una sonrisa en los labios, mientras quince prisioneros entraban el enorme bloque colocado encima de unos troncos de abedul. Yo quedé admirado ante la piedra. Como escultor que era, siempre había soñado con poder trabajar con mármol de Carrara. Pero las SS nunca habían encargado esculturas. Pedían pinturas con regularidad, y yo las había hecho para ellos en serie junto con Zalman Rosenthal y Oler, un judío francés. Estábamos los tres fascinados mirando cómo esos quince cuerpos famélicos libraban una lucha desesperada para mover, centímetro a centímetro, la piedra hasta el interior. Cuando consiguieron dejar el bloque de mármol en el lugar indicado,

Steiner gritó como de costumbre: «*Raus, Dreckjuden!*»

»Los espectros desaparecieron como la niebla disipada por una suave brisa de verano. Fue entonces cuando el *Unterscharführer* se me acercó. Yo bajé la mirada y esperé ansioso lo que vendría a continuación. Sentía su aliento en la cara. El alemán olía a comida podrida y tabaco barato.

»—¡Tengo un trabajito para vosotros, *Dreckjuden*! —chilló—. ¡El comandante quiere que le hagáis una estatua!

»Yo permanecí inmóvil. Oler y Zalman estaban detrás de mí, lo que les procuraba cierto sentimiento de mayor seguridad.

»—¡Tienes que copiar esta estatua, *Schwein*!

Sólo cuando Steiner me golpeó con su fusta comprendí que quería que mirara. La sangre de la ceja abierta iba cayendo sobre mi ojo derecho. Steiner tenía una postal en la mano. Yo reconocí inmediatamente la estatua y al instante comprendí que ese encargo era una sentencia de muerte. Nadie puede copiar una obra de Miguel Ángel basándose en una foto.

»—¿Has entendido, sucio judío? —gritó Steiner.

»—Sí, *Herr Unterscharführer* —murmuré yo.

»El hombre de las SS apoyó su fusta en mi mentón para obligarme a echar la cabeza hacia atrás. Me miró directamente a los ojos, y yo no pude sino desafiar su salvaje mirada.

»—¡El comandante quiere la estatua dentro de tres meses! —dijo con una sonrisa sardónica. Después estalló a reír como un demente dándose palmadas en los muslos como un niño.

»Esperamos hasta que el ruido de botas desapareció por completo. Oler fue el primero en moverse. Se acercó respetuosamente al bloque de mármol y pasó su huesuda mano por la superficie rugosa.

»—Si no tienen el original, quizá les podamos engatusar —dijo con optimismo.

»Veintidós meses de terror nazi no habían conseguido quebrar su presencia de ánimo. El pequeño pintor me miró como si supiera que ese encargo me intrigaba.

»—Es la oportunidad de tu vida, Meir. ¿Sabes cuánto cuesta un bloque de mármol de Carrara como ése? Antes de la guerra, habrías saltado de alegría —dijo casi burlándose.

»Zalman, que nunca decía gran cosa, asintió con la cabeza con entusiasmo.

»—Circulan rumores de que los aliados están a las puertas de Bruselas. Tres meses es mucho tiempo. Ya veremos qué podemos hacer.»

«Tres días después, nos trajeron la estatua de verdad. No podía creer lo que veían mis ojos. La presencia de Miguel Ángel me paralizaba. Por suerte, Zalman y Oler me reconfortaron. Nunca me dieron muestras de pensar que era tarea imposible. Uno me ayudaba a esculpir el mármol y el otro lo pulía cuando una parte estaba terminada. Steiner venía a insultarnos todos los días, pero nosotros estábamos contentos de ver avanzar ese trabajo de titanes.

»—¡Más rápido, más rápido! —gritaba el hombre de las SS, pero por el momento sólo quedaba en eso.

»Tras siete semanas, trabajábamos dieciocho horas diarias, la copia empezó a parecerse cada vez más a la *Virgen con el Niño*. Por lo menos en opinión de Zalman y Oler. Hacíamos nuestra tarea con pasión y no puedo negar que la imagen irradiaba cierta triste belleza. La noticia de que los americanos se estaban acercando al Rin nos dio nuevas fuerzas.

»Y justo cuando pensábamos que podíamos trabajar con un poco más de calma, el infierno se abrió a nuestros pies.

»Una mañana, entró Steiner en tromba. Estaba fuera de sí. Cayó sobre Oler, y fue un milagro que sobreviviera a la tunda que le infringió.

»—¡Jodidos judíos! ¡La estatua tiene que estar terminada dentro de dos semanas! ¡Y qué es lo que habéis hecho? ¡Un engendro! ¿¡Es que acaso no queréis a la Virgen!?

»Steiner echaba espuma por la boca. Nos había dado tres meses, pero... ¿quizá los aliados habían franqueado ya el Rin?

»—¡Es la madre de Cristo, el Dios que vosotros clavasteis en la cruz!

»Después le llegó el turno a Zalman Rosenthal. Steiner le golpeó hasta que el delicado pintor cayó desvanecido sangrando.

»Cuando el SS se hubo desahogado, se acercó a mí rugiendo. En sus ojos llenos de ira vi que asomaba el pánico. Rogué a Yahvé. Un Dios verdadero no se preocupa de las pequeñas miserias terrestres, pensé, pero eso el alemán nunca lo habría comprendido. Dios no es un mago que solucione nuestros triviales problemas con un par de pases mágicos. Dios es amor y él nos muestra el camino. Yo no sentía ninguna amargura cuando la fusta de un ario se abatía sobre mí.

»—A partir de mañana, ejecutaré a cinco jodidos judíos cada día —dijo Steiner rugiendo— hasta que la estatua esté terminada.

»Oler hizo todo lo que pudo, pero se vio obligado a abandonar. Orinaba sangre y falleció justo antes de que nos trasladaran a Auschwitz. Zalman y yo trabajábamos ahora veinte horas diarias. Las ejecuciones se sucedían sin tregua. La copia estuvo por fin lista la noche del 24 al 25 de diciembre. Nos habíamos apresurado a terminarla antes de que saliera el sol para salvar de esa manera cinco vidas.

»Por la mañana, cuando Steiner entró, nos pusimos firmes con orgullo.

»—¡Asquerosos inútiles! ¡Lo habéis hecho a propósito! —gritó—. ¡Como hoy es Navidad, liquidaré a veinte malditos judíos!»

—¡Esos alemanes! —dijo Van In sacudiendo la cabeza—. ¡Después de leer esto, es como para jurar que nunca volverás a subirte a un Golf!

—En todo caso, eso explica lo de la bellasombra —dijo Versavel—. Fiedle hizo tallar una copia de la estatua y la embarcó hacia Sudamérica.

Van In dejó el fax.

—Meir Frenkel... —dijo a media voz—. Meir Frenkel. M. F. Mia Fiorentina o Mer Frenkel.

—¿Qué estás diciendo, comisario?

—Caos, Guido, caos.

—Ibas a explicármelo ayer.

—¿Has leído el libro?

—Si tú no me hubieras interrumpido constantemente, probablemente lo habría conseguido —dijo irritado el brigadier.

Van In encendió otro cigarrillo y se puso las manos en la nuca.

—¿Quieres que te explique mi teoría o espero a que te hayas leído todo el libro?

—Yo también tengo una idea aproximada —dijo Versavel.

—¿Cuál?

El brigadier se acarició nervioso el bigote. No le gustaban este tipo de juegos intelectuales.

—A mi modo de ver, la teoría del caos se puede resumir en un viejo dicho popular: «Con pequeña brasa se suele quemar la casa.» La situación de partida es simple, pero evoluciona de una manera tan compleja que es del todo imposible prever cómo acabarán las cosas.

—¡Estupendo, Guido! ¿Cuántas páginas leíste?

—Treinta —dijo Versavel.

—Entonces voy a resumirte las 298 páginas restantes lo más concisamente posible. Para comprender el caos, hay que conocer la teoría de los fractales, que permite calcular de una manera relativamente simple formas muy complejas, como el volumen de una nube o la superficie de un irregular fiordo noruego. El tiempo atmosférico es también un típico ejemplo. Con las matemáticas clásicas, se intenta cartografiar el sistema de ciclones y depresiones con un número incalculable de mediciones a partir de miles de parámetros. El resultado dista mucho de ser satisfactorio, ya que el tiempo no se deja reducir a un puñado de fórmulas clásicas. La teoría del caos nos ofrece una alternativa. Según el autor de este libro, el pedo de un peruano en los Andes es capaz de alterar de tal forma la meteorología que puede llegar a provocar un tsunami en la costa de Bangladesh, sin tener en cuenta, evidentemente, los cálculos tradicionales.

—¡Anda ya! —se rio Versavel—. ¡Me gustaría oír alguna vez semejante pedo!

—Ningún sistema es estable —siguió imperturbable Van In—. En cada proceso actúan ínfimas discrepancias que con las matemáticas clásicas es imposible tener en cuenta. Estas anomalías sólo se pueden aprehender con la teoría del caos. Además, se manifiestan en los más variados campos. Voy a ponerte un ejemplo.

—¡Por fin! —suspiró Versavel—. Porque no entiendo ni jota.

—Yo tampoco, pero por lo menos lo intento.

Versavel sonrió. Hacía años que el comisario no pronunciaba un discurso pseudointelectual.

—Unos científicos han descubierto casualmente que un grifo abierto silba cuando hay turbulencias en las cañerías. El tono del silbido sube una octava si el flujo del agua aumenta en un 21,7 por ciento. En realidad, se trata de un fenómeno banal. Pero cuando empieza a ser interesante es cuando se llega a la conclusión de que es necesario elevar un 21,7 por ciento las oscilaciones de un circuito electrónico para doblar su frecuencia.

Versavel miró incrédulo a Van In. «Éste delira», pensó.

—Lo que demuestra que la teoría del caos puede aplicarse a una gran diversidad de casos —concluyó Van In pavoneándose—. Entonces, ¿por qué no utilizar esta técnica para resolver un crimen?

—¿Hago café? —preguntó preocupado Versavel.

—Francamente, Guido, dímelo si te aburro.

—¡De ningún modo, Pieter! ¡Encuentro tu modus operandi fascinante!

—¡Deja el modus operandi para los criminales sin imaginación, Guido! Esto es lo que los americanos llaman «lluvia de ideas».

—Y sólo puedes invocar la lluvia con la teoría del caos —se burló Versavel.

—Ese holandés me preocupa —dijo Van In mientras el brigadier echaba café en el filtro.

—El pedo de un peruano...

—¡Entonces lo has comprendido! —dijo Van In con cierta admiración.

—Con pequeña brasa se suele quemar la casa. La teoría del caos es tan vieja como el mundo.

Van In estiró las piernas. Fuera brillaba el sol y los rayos sesgados que entraban destacaban más el polvo de los archivadores.

—Si el holandés es un factor aleatorio, tenemos que actuar con la máxima prudencia. Si no disponemos de pruebas sólidas, Vandekerckhove te hará picadillo.

Versavel puso en marcha la cafetera y se sentó tras su escritorio.

—¡Como si no lo supiera! —suspiró Van In—. ¡Pero sin Frenkel nunca nos habríamos enterado de que Vandekerckhove tiene alguna relación con este asesinato!

20

Jasper Tjepkema esperaba la llamada de sus colegas belgas. El relato del escultor Meir Frenkel, el recientemente fallecido tío de Adriaan Frenkel, le había impresionado mucho.

—¡Hola, Jasper! Soy Pieter van In, de la policía de Brujas.

—¡Hola, Pieter! Supongo que has leído mi fax.

Tjepkema iba a jubilarse dentro de seis meses. Había vivido la guerra, y los excesos del nazismo seguían poniéndole la carne de gallina.

—Increíble, ¿no crees?

Van In le hizo señas a Versavel de que cogiera el aparato supletorio para seguir la conversación.

—La serpiente ha cerrado el círculo —dijo enigmáticamente.

Tjepkema no contestó. Los belgas utilizan a menudo expresiones raras y no quería pasar por imbécil pidiéndole una aclaración.

—Creo que Frenkel ha sido asesinado, Jasper. Y que el asesino provocó el incendio para borrar cualquier indicio.

—Pues no lo ha conseguido —dijo Tjepkema—, porque el diario de su tío lo encontramos en su apartamento de Groninga. A su regreso de Brujas, Frenkel pasó por

Groninga antes de irse a su casa de vacaciones. Su vecino de Schiermonnikoog nos ha confirmado que llegó el lunes por la noche.

—Eso el asesino no podía saberlo... —dijo Van In reflexionando en voz alta.

—Siempre que no haya hecho sus averiguaciones —objetó Tjepkema—. Enviaré inmediatamente un equipo de investigación para que interroguen a los vecinos de Frenkel en Groninga.

—¡Buena idea, Jasper! ¿Alguna novedad respecto a la autopsia?

—Tendré el informe el lunes, Pieter. ¿Crees que fue él quien mató a Fiedle?

—Eso nos lo dirá el test de ADN. Hemos encontrado tejido epitelial bajo la uña de Fiedle. Si el grupo sanguíneo coincide, estamos en buen camino.

—Tengo la impresión de que el tiempo apremia, Pieter —dijo Tjepkema con cierta empatía.

Un test de ADN tarda dos semanas y tiene una fiabilidad de casi el cien por cien. Determinar el grupo sanguíneo es cuestión de minutos, pero no tiene apenas valor como prueba.

Van In no tenía ninguna intención de confiarse a su colega holandés. La existencia de una relación entre el atentado con bomba y la muerte de Fiedle sólo era por el momento pura hipótesis. Él mismo empezaba a tener serias dudas.

—Fiedle era un pez gordo —respondió Van In evasivamente—. ¡Cuanto antes esté resuelto el caso, mejor para todos!

—¡No te dejes presionar por los políticos! —se rio Tjepkema—. ¡Esa gente no entiende ni jota de nuestro trabajo!

—Tú lo has dicho, Jasper. No está mal saber que no somos los únicos que sufrimos este tipo de problemas.

—Es en todas partes igual, colega. En los Países Bajos las cosas funcionan de otra manera que en Bélgica, pero, al final, somos todos la misma gente.

—¡A eso lo llamo yo dar ánimos! —dijo Van In de buen humor—. Cuando todo esto haya pasado, os invito a tu mujer y a ti a pasar un día en Brujas. ¡Tengo muchísimas ganas de conoceros personalmente!

—Prometido —dijo Tjepkema—. Janet estará encantada.

Van In anotó su número de teléfono y quedaron en que se llamarían regularmente.

—¿Qué piensas, Guido?

Versavel colgó el auricular y se acarició el bigote.

—Si Frenkel era el pedo peruano que ha puesto patas arriba todo el sistema, ¿por qué le han matado?, ¿por lo que oyó o por lo que vio?

Pasaron varios segundos hasta que Van In se percató del significado real de estas palabras.

—La *Virgen con el Niño* o Vandekerckhove.

—¿Se te ocurre algo mejor?

—¡Entonces empiezas a creerme!

—¡Yo nunca he sostenido que tu teoría del caos no fuera válida! Pero, en todo caso, no nos simplifica el trabajo.

Versavel se instaló ante su procesador de textos y abrió el archivo Fiedle.

—Veamos lo que tenemos por el momento.

Van In se acercó para mirar la pantalla por encima del hombro de Versavel.

—Fiedle fue visto en el Villa Italiana en compañía de Vandekerckhove, administrador delegado de Travel.

Adriaan Frenkel está sentado cerca y sin duda escucha su conversación. Durante la noche, Fiedle recibe un golpe y Frenkel abandona la ciudad precipitadamente. Vandekerckhove niega que esa noche estuviera en Brujas, y algunos días más tarde, la brigada especial de investigación holandesa descubre el cuerpo calcinado de Frenkel. La policía judicial trata, a petición del juez de instrucción Creytens, de echar tierra al asunto.

—Estoy atónito —dijo Van In admirado—. Pensaba que simplemente te limitabas a entrar los datos, pero esto es un análisis extremadamente lúcido.

Versavel se sonrojó. Los cumplidos del comisario siempre le gustaban.

—¡No he terminado! —dijo rebosante de alegría—. Fiedle llevaba en la cartera una foto de la *Virgen con el Niño* de Miguel Ángel. Léo Vanmaele identificó la vegetación que se veía en un segundo plano de la foto como bellasombra, una planta que no crece en el hemisferio norte. La estatua fue copiada al final de la Segunda Guerra Mundial por un tal Meir Frenkel. El original se encuentra probablemente en Suramérica. Meir Frenkel falleció el 8 de febrero de este año. El diario del viejo escultor fue el motivo de que su sobrino hiciera un apresurado viaje a Brujas. Dos días después, unos terroristas hicieron saltar por los aires la estatua de Guido Gezelle. Según la Seguridad del Estado, ese acto podría haber sido obra de un grupo de activistas valones.

—¡Sigue, Guido! —dijo con entusiasmo Van In—. No entiendo por qué no publicas tus historias. ¡Tienes talento, tío!

Versavel estaba ahora lanzado.

—Parece existir una relación entre Fiedle, la *Virgen con el Niño* y el atentado con bomba de 1967. La estatua de la Virgen fue encontrada después de la guerra en Alt Aussee. Dietrich Fiedle tenía su domicilio en Hallstatt. Una banda de gánsteres, dirigida por un tal Scaglione, se libró de un proceso en Brujas y fue condenada a una pena de prisión simbólica tras un proceso en Doornik, en francés, Tournai. Seis días después de la decisión del consejo, una potente bomba explotó en pleno Burg. Los autores de este atentado nunca fueron hallados. Un detalle picante: la banda de Scaglione acababa de regresar de una expedición de submarinismo en Austria. Uno de los miembros de la banda le confió a un periodista local que habían encontrado el tesoro de las SS, una fortuna en oro que los nazis habrían escondido en el lago Tiplitz. Alt Aussee, el lago Tiplitz y Hallstatt se encuentran a pocos kilómetros de distancia. Comprometedoras circunstancias. En la época del proceso a Scaglione, el procurador general no era otro que el padre del actual juez de instrucción Creytens. Él fue con toda probabilidad quien dio la orden de que el caso se juzgara en Tournai. El inspector Bostoen estaba a cargo de la investigación y ocupa actualmente un alto cargo en la Seguridad del Estado. Ha sido Bostoen quien ha sugerido la posibilidad de que el MWR haya renacido como un Fénix de sus cenizas después del incidente del 11 de julio y que haya escogido Brujas como punto de mira de sus actividades terroristas.

Versavel se sentía ahora como un niño con zapatos nuevos.

—Si ahora nos planteamos las preguntas correctas, estaremos a un paso de encontrar la solución —concluyó con orgullo.

Van In estaba impresionado. Versavel estaba a la altura de Heracles, acababa de limpiar los establos de Augías.

—Propongo que averigüemos quién fue el abogado de Scaglione.

Versavel le miró sorprendido. El comisario solía guardarse siempre alguna sorpresa, pero esta vez debía admitir que francamente no sabía adónde quería llegar.

—Si Scaglione es responsable del atentado con bomba de 1967, algo tiene que haber fallado entre el momento en que Edgar Creytens decidió transferir el proceso a Tournai y el lunes que explotó esa famosa bomba. El abogado de Scaglione podrá contestar a esa pregunta.

Van In reflexionaba con el ceño fruncido.

—¿Y por qué trata obstinadamente Vandekerckhove de demostrar que la noche del asesinato estaba en Niza?

Versavel anotó la pregunta.

—La siguiente cuestión es la más delicada —dijo Van In—. Creo que la amenaza de nuevos atentados con bomba tiene por objetivo presionar a Moens. La pregunta es...

Van In dudaba. Estaba pisando un terreno muy resbaladizo.

—¿Tiene que tomar el consejo municipal en breve alguna decisión en la que el voto del alcalde sea decisivo?

—Pondré todo mi empeño en buscar respuesta a esas preguntas, Pieter —dijo Versavel—. Empezaré por el abogado.

—¡Perfecto! —dijo Van In.

Antes, una simple llamada al Registro Civil bastaba para reencontrar a un viejo conocido. Tras la aplicación de la ley de protección de datos es imposible. Ahora todos los ficheros están centralizados en un registro nacional al que sólo tienen acceso la policía y la gendarmería. Por lo menos, eso dicen...

Van In se hizo pasar por teléfono por comisario de policía y en cinco minutos recibió un fax con una lista de todos los Scaglione domiciliados en Bélgica. Luego telefoneó a la policía judicial y solicitó el expediente de Enzo Scaglione. Un servicial inspector le remitió a la fiscalía de Neufchâteau.

—¡Tengo al abogado de Scaglione al teléfono! —dijo Versavel pasándole el auricular a Van In y guiñándole el ojo—. Es un tal Dewulf y me temo que está sordo como una tapia.

Van In cogió el auricular y trató de hablar lo más alto posible. Dewulf era duro de oído, pero tenía una excelente memoria. Se acordaba del caso Scaglione como si hubiera sido ayer.

—La cámara del consejo tomó la decisión de transferir el proceso a Tournai el 6 de febrero —dijo el viejo abogado sin sombra de duda—. Yo lo supe ocho días después. Me acababan de operar, y mi esposa no quiso que el sustituto me molestara en la clínica.

—Así que Scaglione no fue puesto al corriente hasta el 14 de febrero —dijo Van In, casi saltando de alegría.

—¡El 15! —le corrigió Dewulf como un sabiondo maestro de escuela—. Aún recuerdo lo exaltado que se puso. Por cierto, que todavía me debe los honorarios.

Van In le dio las gracias efusivamente antes de colgar el aparato y luego encendió un cigarrillo. Era sólo el tercero de esa mañana y se sentía muy orgulloso.

Así que Scaglione tenía un móvil para poner una bomba en los juzgados. Pero así como un alpinista nada más llegar a la cima se fija ya otros objetivos, el comisario se encontró inmediatamente confrontado a otras preguntas. ¿Cómo había conseguido un gánster marsellés presionar a Edgar Creytens?, y ¿por qué el asesino no había rematado a Fiedle? ¿Era un aficionado o acaso Frenkel había sido por casualidad testigo del homicidio?

Van In decidió abandonar momentáneamente la teoría del caos y buscar una respuesta simple. En lo que se refería a Creytens, se le ocurrían dos posibilidades: dinero o chantaje.

El oro le parecía el móvil más plausible. El tesoro de las SS había sido valorado en varios miles de millones. Van In cogió un boli y empezó a tomar notas febrilmente.

Hannelore llamó a la puerta exactamente a las nueve menos cuarto. Van In sacó el chucrut del horno y fue corriendo a la puerta.

—¡He preparado tu cena favorita!

—¡Qué bien! —dijo ella con apatía.

—¿Pasa algo?

Hannelore se quitó el abrigo y lo echó con un gesto de indiferencia sobre una silla. Llevaba tejanos y un grueso jersey de cuello vuelto.

—¿Por qué dices eso, bobo? ¡Claro que no! ¡Estoy muerta, eso es todo! ¿Está acaso prohibido? —respondió irritada.

Van In le pasó la mano por el pelo mojado.

—¿Te ha echado una bronca el procurador?

Notaba que algo no marchaba bien. Ella negó con la cabeza y se fue hacia la cocina como si quisiera evitarle.

—¡Chucrut! —exclamó ella—. ¡Ya puedes ir inmediatamente a comprar cien latas!

Van In se puso tenso. ¿Era una alusión?

—Vale —dijo él—. Mañana iba a hacer las compras.

Hannelore tomó una cuchara de palo, puso otra vez la olla en el fuego y empezó a remover mecánicamente la preparación.

—El martes olvidé tomarme la píldora —dijo tras una pausa—. Se me olvidó por completo.

—¡¿Y?! —dijo Van In riendo—. Por una vez que te la olvides no va a pasar nada. Tengo cuarenta y tres años, Hanne. Bebo como un cosaco y fumo como un carretero. Según las estadísticas, la fertilidad de mi esperma debe de ser aproximadamente la de una pepita de naranja plantada en el permafrost de Siberia.

—Tú subestimas a la madre Naturaleza, Pieter van In. El martes, yo era víctima de una ovulación.

Sólo una magistrada de la fiscalía podía describir una ovulación como si se tratara de un crimen. Van In no sabía si ponerse a reír o pasarle un brazo por encima de los hombros con aire de preocupación.

—¡El chucrut huele muy bien! —dijo él.

Ella se volvió hacia él y le cubrió de besos.

—¡Se me está haciendo la boca agua!

Van In le cogió la cuchara.

—¿Crees que tu estado te permite todavía poner la mesa?

—¿Lo encontrarías grave si estuviera embarazada?

Él dejó de remover en la olla y la abrazó con fuerza.

—¡Lo encontraría genial, Hanne!

El chisporroteo del chucrut en el fuego puso fin al abrazo.

—¡Éstas eran las dos últimas latas! —se excusó Van In.

Hannelore cogió dos platos y se fue bailando hasta la mesa de la cocina.

—En la bodega todavía queda una botella de vino blanco.

¡Hacía cuarenta y ocho horas que Van In no había bebido ni una gota de alcohol, pero una noticia como ésa había que celebrarla!

—Que Vandekerckhove te haya mostrado un billete de avión no quiere decir necesariamente que haya pasado esos cuatro días en Niza —dijo Hannelore entre dos bocados.

Van In le ofreció el chucrut que quedaba y ella se la puso con avidez en el plato.

—El sur de Francia está a sólo una hora y media de vuelo de Bruselas. ¡Hay gente riquísima que en medio día van y vuelven y aún les sobra tiempo para visitar Brujas y Gante en limusina!

—Versavel ha verificado todos los vuelos —precisó él, sirviéndose discretamente otro vaso de vino.

—¿Los jets privados también? —dijo Hannelore comiendo como un obrero de la construcción hambriento.

—¡Así que no! —sonrió ella al notar que Van In no le respondía.

A las diez menos cinco estaban confortablemente sentados en el salón. Van In nunca había saboreado tanto dos vasos de vino como esa noche. Dejó que Hannelore se apoyara en su hombro y encendió el televisor.

Moens apareció en pantalla tras un resumen de la guerra de Bosnia.

—Según un reciente informe de la policía, el atentado

con bomba habría sido obra de un grupúsculo extremista valón...

—¡Por Dios! —exclamó Van In subiendo mucho el volumen.

Hannelore se despertó.

—Según la Seguridad del Estado, el Mouvement Wallon Révolutionnaire está en activo desde hace veinte años —dijo el periodista que estaba entrevistando al alcalde de Brujas.

—¡En efecto! —respondió Moens.

El alcalde se había puesto su mejor traje, pero no conseguía disimular su marcado acento del oeste de Flandes.

—En los años setenta y ochenta, el MWR fue responsable de una oleada de incendios provocados en Valonia, que afectaron a bienes cuyos propietarios eran flamencos e, igual que en la actualidad, nunca reivindicaron sus actos terroristas.

Moens se enredaba en largas frases que después no sabía cómo terminar.

—¿Cree usted que habrá nuevos atentados, señor alcalde?

Moens miró a la cámara como un atormentado Churchill.

—Las fuerzas del orden están en estado de alerta, y el ministro del Interior me acaba de comunicar que dos pelotones de la unidad especial de intervención de la gendarmería tomarán esta noche posición en varios puntos estratégicos.

—Así pues, ¿los ciudadanos pueden dormir a pierna suelta?

Moens esbozó una sonrisa que habría puesto celoso a un candidato a la presidencia americana.

—Brujas es en estos momentos una fortaleza inexpugnable —explicó con orgullo—. Estamos firmemente resueltos a evitar cualquier nuevo acto de terrorismo.

Van In zapeó colérico a una cadena comercial. ¡Todo era mejor que esas chorradas!

—¡Dentro de cien años, utilizarán esa declaración en un programa de la televisión escolar! —dijo airado—. ¡La decadencia de la democracia occidental en diez lecciones!

Hannelore le dejó desahogarse.

—¿Te queda algo comestible en casa, Pieter?

Van In la miró fijamente.

—Todavía hay arenques en adobo en la nevera —dijo él receloso—. Pero cómo puede ser que...

—¡Trae esa porquería! Me muero de hambre.

—¿De veras? Pensaba que lo decías en broma. ¿Cómo puedes estar tan segura?

—¡Ya veremos si dentro de nueve meses todavía te ríes! —dijo ella alegremente.

Van In no tenía ningunas ganas de iniciar una discusión sobre la intuición femenina. Se levantó y fue a la cocina.

—Todavía hay tres nadando en el cáliz, querida.

—¡Tráeme los tres! ¡Y, por favor, échame el jugo en un vaso!

Van In no protestó. Como padre en ciernes, hizo lo que se esperaba de él: ¡obedecer!

21

Hoy hacía exactamente una semana que unos desconocidos habían hecho explotar la estatua de Guido Gezelle. Después de la patética entrevista del día anterior, Flandes estaba trastornada. Los periódicos se lo estaban pasando en grande: Había que interrumpir urgentemente las transferencias de dinero de Flandes a Valonia. El gobierno de Flandes había celebrado una reunión de urgencia y varias organizaciones amenazaron con emprender duras acciones. En una palabra, la mecha estaba encendida. Unas estúpidas palabras habían sacudido Flandes de la cabeza a los pies.

—Moens se ha tirado un pedo de peruano —comentó Versavel con sarcasmo—. ¡Flandes se tambalea!

Van In cerró el periódico y encendió un cigarrillo.

—A los flamencos se les puede hacer pasar por todo —dijo resignado—. ¡Pero si les tocas el patrimonio, se ponen rabiosos!

—¿Y por qué precisamente ahora? —preguntó Versavel—. La semana pasada, la prensa apenas habló del atentado y ahora se echan encima con toda la artillería.

—¿Qué te apuestas a que el redactor jefe es de Brujas?

—¿Qué quieres decir con eso?

Van In arrancó una hoja de su bloc de notas y escribió con letras picudas: «Vandekerckhove-Zeebrugge-millonario, Bostoen-Brujas-Seguridad del Estado, Creytens-Brujas-juez de instrucción, X-Brujas-prensa.»

Versavel estudió los nombres.

—¿Qué hay que los relacione?

El brigadier se acercó a su escritorio, cogió el listín de Bruselas y buscó el número de teléfono de la cadena de televisión.

Van In apagó el cigarrillo que estaba a medio fumar y encendió otro.

—¡Ah! El señor Lanssens no se encuentra en estos momentos en la oficina. ¿Podría llamarlo a su casa? —dijo Versavel acariciándose el bigote y cogiendo un bolígrafo—. Es urgente. Se trata de la entrevista de ayer. La investigación ha dado un nuevo giro y estoy seguro de que el señor Lanssens...

Versavel golpeteaba nervioso la parte externa del auricular.

—No, sólo se lo puedo decir a él personalmente.

Versavel tuvo que esperar un largo minuto, pero, de repente, levantó el pulgar en señal de victoria y tomó rápidamente nota de los datos.

—Tengo el número del teléfono de su coche —dijo triunfante.

Cinco minutos más tarde, el ordenador del registro nacional contestaba la pregunta del brigadier:

«Lanssens es nativo de Brujas. En 1968 se trasladó a Bruselas. Antes, trabajaba como periodista en el *Brugsch Handelsblad*.»

—¡Es el tipo que escribió los artículos sobre Scaglione! ¡Tendría que haberlo imaginado! —dijo Van In entusiasmado—. ¡Viva la teoría del caos!

Versavel afirmó con la cabeza reflexionando. ¡La disparatada teoría del comisario era cada vez más creíble!

El timbre del teléfono interrumpió sus pensamientos.

—¿Sí, diga? ¿Con quién hablo?

Van In encendió un cigarrillo. Se le dibujó una sonrisa en los labios cuando oyó a Versavel tratando de hablar en su mejor francés:

—*C'est très gentil. Oui.*

Tras una pausa en la que Versavel se acarició el bigote nervioso:

—*Bien sûr. Je vous passe le commissaire Van In* —y le tendió el auricular a Van In con una sonrisa sardónica—. Tienen un expediente sobre Scaglione.

Aunque Hannelore no solía ir a la comisaría, no le era necesario mostrar su tarjeta de identidad. Un joven agente la acompañó al despacho 204.

—*Au revoir* —oyó que decía Van In.

—Era Neufchâteau, querida —dijo animado—. Ahí conocen bien a los Scaglione. El viejo Luigi regresó a Sicilia en los años setenta, y su hijo Enzo vive por estos alrededores. ¡Ya no puede ser casualidad!

—¡Yo también tengo novedades! —dijo ella—. El sábado 11 de febrero Fiedle alquiló un Learjet a la compañía Abelag. Según el plan de vuelo, el avión despegó a las cuatro y media con destino a Niza.

—¡La bullabesa! —gritó Van In.

Ni Hannelore ni Versavel tenían ni idea de adónde quería llegar.

—¡¿Bullabesa?! —repitió ella como un eco.

Van In sonrió como una mujer adúltera cuyo marido ha sido condenado a pasarle una suculenta pensión.

—¡Bejel y peje, los ingredientes típicos de una sopa de pescado mediterránea! ¡Fiedle había comido bullabesa esa noche!

—Eso se puede comer en toda Europa —comentó secamente Versavel.

—¡Claro que sí! —se apresuró a decir Van In—. ¡Pero no me digas que no nos viene al pelo!

Hannelore se quitó el abrigo y se sentó graciosamente en el borde del escritorio de Pieter.

—El avión privado permaneció en *stand-by* hasta las tres y media de la madrugada y entonces regresó a Niza con un pasajero.

—¿Vandekerckhove?

—El piloto lo describe como un hombre viejo y gordo. Le he enviado por fax una foto de Vandekerckhove.

—¿Y?

—Nada. El tipo se tapaba la cara con una bufanda y no intercambió ni una palabra con la tripulación.

—En todo caso, Vandekerckhove ha mentido —dijo Versavel—. Esta expedición nocturna le convierte en particularmente sospechoso a nuestros ojos.

—Supongo que con eso podríamos detenerlo —caviló en voz alta Van In—. Un test de ADN simplificaría en todo caso las cosas.

Hannelore asintió. Si Creytens no colaboraba, se dirigiría directamente al procurador.

—Entonces, ¿tú crees que Vandekerckhove mató a Fiedle? —dijo Hannelore categóricamente.

Van In se dio cuenta de que no podía responder esta pregunta a la ligera. Si el test era negativo, pondría a

Hannelore en ridículo, y sabía muy bien lo vulnerables que eran las jóvenes magistradas de la fiscalía.

—No, en realidad, no —dijo de repente—. No creo que Vandekerckhove hiciera el trabajo sucio y mucho menos en el centro de Brujas.

—¿Qué vas a hacer entonces? —preguntó ella desalentada—. ¿No creerás que se va a someter voluntariamente a un test de ADN, no?

Van In trató de ordenar las ideas. ¡Había tantos elementos a tener en cuenta!

—¡Un momento! Creo que voy a sondear otra vez a Tjepkema.

El comisario holandés estaba justo a punto de llamar cuando sonó su teléfono.

—¡Hola, Jasper, soy Pieter!

—¡Eso es telepatía! —dijo riéndose—. No hace ni un cuarto de hora que me ha llegado el informe de la autopsia.

—¿Y?

—A Frenkel le dieron primero un golpe en el cráneo. El incendio era efectivamente para borrar los indicios.

—¿Y el grupo sanguíneo? —preguntó Van In impaciente.

—A positivo. ¿Te sirve eso de algo?

—No, Jasper. El tejido epitelial que encontramos bajo la uña de Fiedle era O negativo.

—¡Lástima, Pieter! Me temo que tendrás que esperar el resultado del test de ADN.

—De todos modos, muchísimas gracias, Jasper.

—A lo mejor esto sí que te es de ayuda —dijo Tjepkema en tono de consolación—. Según dos vecinos, el jueves por la noche alguien estuvo haciéndoles preguntas. Uno de ellos le dio las señas de la casa de vacaciones de Frenkel.

—¿Tienes una descripción?

—Sí, claro —dijo triunfante Tjepkema—. Era un hombre delgado, de metro ochenta, probablemente de entre treinta y treinta y cinco años, con pelo negro liso, vestido a la moda, y con cierto aire de ser del sur.

—¡Scaglione! —murmuró Van In.

—¿Qué dices, Pieter?

—Eres un hacha, Jasper.

—Ha sido un placer, Pieter. Te llamaré cuando haya alguna novedad. ¡Hasta luego!

Hannelore estaba manoseándose la blusa, pero Versavel, que estaba en vilo, miraba a Van In.

—Vandekerckhove queda libre —dijo Van In—. Salvo que tenga el grupo sanguíneo O negativo.

—Puede que hayan contratado a un asesino a sueldo —respondió Hannelore juiciosamente.

—¿A las órdenes de quién? —reaccionó atento Versavel.

—Ni idea —suspiró Van In—. Creo que voy a retirarme a pensar un par de horas.

—¡Voy contigo! —dijo Hannelore de buen humor.

Cuando entraron en casa, la leña todavía ardía. Van In puso el termostato a veintidós grados y echó simbólicamente un tronco al fuego.

—Carton va a ver que no estás en la oficina —bromeó ella.

—En eso tienes tú suerte —respondió él con sarcasmo—. Los magistrados no necesitan justificarse si se ausentan un par de horas.

—La justicia no es suave con los hombres que importunan a sus mujeres embarazadas —contestó ella arisca.

—¡Casi te había creído, Hanne! —dijo Van In cansado—, pero esta mañana he consultado un par de libros. Ninguna mujer puede saber si está embarazada después de una semana.

Ella abrió la nevera.

—¿Hay pepinillos?

—No, cielo. Tengo algo mejor, y sabes perfectamente dónde encontrarlo.

—¡Qué agradable que debe de ser estar casada contigo! —dijo ella en tono de mofa.

—Por favor, Hanne. He vuelto a casa para reflexionar.

—¿Desea Sherlock Holmes una dosis de morfina o una taza de café también estimulará sus células grises?

—Queda un poco de pastel en el armario —dijo él resignado.

Cuando Van In entró corriendo a las seis y media con dos latas de pepinillos en vinagre, Hannelore estaba sentada en el salón con un joven muy pálido.

—Te presento a Xavier Vandekerckhove —dijo ella con un ademán grandilocuente.

Van In le miró como un niño al que hubiera venido a visitarle E.T. Reconoció inmediatamente al joven delicado con una incipiente calvicie que el otro día llevaba los paquetes de Véronique. Era Armageddon, pensó resignado. Hannelore le miró divertida.

—Xavier te va a evitar mucha gimnasia mental, ¿verdad, Xavier?

El apocado joven asintió con la cabeza. Van In puso los pepinillos en la nevera y se sirvió una taza de café. A decir verdad, habría preferido una Duvel.

—¡Buenas noches, comisario Van In! Me parece que

soy la última persona que esperaba recibir en su casa.

Van In no pudo sino respaldar este axioma. Un sudor frío de angustia le resbalaba por la espalda.

—He estado durante mucho tiempo dudando de si ponerme en contacto con usted, pero los acontecimientos me han obligado a ello —Xavier hablaba como si acabara de salir del logopeda, articulando cada sílaba.

—¡Eso ha sido muy valiente de tu parte, Xavier!

Van In dirigió una mirada desesperada a Hannelore, pero ella estaba tan impasible como la reina de Saba.

—He venido para hablarle de mi padre y de Thule —dijo el pálido joven sin andarse con rodeos.

Van In se sentó y tomó un sorbo de café templado.

—Muy poca gente sabe que mi padre tiene dos hijos. Ronald ha sido siempre su preferido. Yo soy la oveja negra, nadie me conoce.

A Xavier se le hacía difícil. Su huesuda nuez de Adán subía y bajaba espasmódicamente.

—Mi padre cree que yo soy desequilibrado y por eso me ha prohibido la entrada a su empresa. Lo que no significa que yo sea retrasado mental.

—Eso me parece bastante evidente —dijo Van In lisonjero.

—Es por eso que le pedí a Véronique que le revelara la presencia de mi padre en el Villa Italiana la noche del 11 de febrero.

Van In se puso tenso.

—Sí, eso me contó, efectivamente —respondió con indiferencia.

Si Xavier revelaba algún otro detalle, Brujas contaría dentro de poco con una madre soltera más.

—Véronique es una chica cariñosa. Sale con todo el

mundo, pero eso no me molesta. Nadie sabe que estoy enamorado de ella.

Sin duda Xavier sabía cómo mantener la tensión.

—Pensé que esa información le permitiría resolver el caso, comisario. No podía prever que mi padre tendría una coartada tan sólida.

—Ya no —dijo Van In—. Hemos descubierto su pequeño juego.

—¡Por suerte! —suspiró Xavier.

Gotas de sudor le perlaban la frente. El fulgor de las llamas que bailaban en el fuego le iluminó con un resplandor las lívidas mejillas.

—¿Y si nos dijeras algo de ese nombre Thule que has mencionado hace un momento? —dijo Van In, suplicando al cielo que Hannelore no se diera cuenta de que estaba intentando desviar la conversación.

Xavier asintió sumisamente.

—Soy aficionado a la electrónica —dijo no sin cierta altivez.

Hannelore miró sorprendida a Van In, pero él evitó su mirada. Ambos estaban pensando lo mismo. Xavier podía parecer cualquier cosa, menos un desequilibrado.

—Un poco de paciencia, comisario, enseguida iré a los hechos —anticipó el delicado joven—. Mi padre siempre me ha dejado hacer lo que quería y el dinero no ha constituido nunca un problema. Lo que empezó como un pasatiempo ha terminado siendo una pesadilla.

Van In encendió un cigarrillo. Hannelore se arrellanó poniendo las piernas en el sofá. El relato del joven Vandekerckhove la tenía completamente intrigada.

—En mi tiempo libre, he instalado en cada habitación de la casa micrófonos ocultos. Debo decirles que a mí siempre me mantiene al margen de todo. Cuando hay alguna visita, corro inmediatamente a mi habitación y así tengo la impresión de que participo un poco. Fue de este modo como supe de la existencia de Thule —dijo con una sonrisa de desánimo.

—¿Tiene ese nombre Thule alguna relación con Fiedle? —preguntó Hannelore.

—¡En efecto, señora! La sociedad Thule existe desde hace casi cien años. Originariamente, era una orden de caballería pangermánica con ramificaciones en los medios económicos y políticos. Dietrich Eckhart, uno de los fundadores de la orden, le habría confiado en 1919 a uno de sus amigos: «Necesitamos un hombre capaz de escuchar el ruido de una ametralladora. Esos puercos —se refería a los judíos y los comunistas— tienen que sentir el miedo en el cuerpo. No es un oficial lo que necesitamos, sino un hombre del pueblo con mucho morro. Un tipo presuntuoso y soltero, así tendremos a todas las mujeres en nuestro terreno.»

—¡Bien presentado! —exclamó Van In—. Se diría que ese tal Eckhart y sus compinches encontraron lo que buscaban.

El hijo de Vandekerckhove respaldó el comentario con una mirada vivaz.

—Parece que Erkhart fue durante un tiempo consejero de Hitler. Él le inspiró para que escribiera *Mein Kampf* y también habría estado detrás de la conferencia de Wannsee, de donde saldría la «Solución Final del Problema Judío».

—¡Qué club más simpático! —comentó Van In.

Este tipo de historias fascistas le ponían la carne de gallina.

—Toda esta información la encontré en una enciclopedia —explicó Xavier—. Según esa misma fuente, la sociedad Thule fue disuelta en 1944.

—Lo que evidentemente no es verdad —dijo Van In en tono de incredulidad.

—En efecto, comisario. Thule es más activa que nunca, aunque ahora sus objetivos de poder son más de orden económico.

—¡Una teoría fascinante, Xavier! —dijo Hannelore—. ¿Pero qué relación tiene eso con Brujas?

—¡Buena pregunta, señora!

Van In se levantó y desapareció en la cocina.

—¿Cerveza para todos? —preguntó.

—Una Coca-Cola para Xavier —le respondió gritando Hannelore.

Fuera, el último rayo de sol desaparecía tras una nube rojiza.

—A lo largo de los años, Thule se ha transformado en un exclusivo club de hombres de negocios. Su único objetivo es ganar dinero y para ello no dudan en utilizar cualquier método. Mantienen relaciones con la mafia y tratan de entrar en el Parlamento europeo.

—¡Uf! —exclamó Van In—. ¿Y tu padre dice que eres retrasado?

Xavier bebió un sorbito de Coca-Cola. Era evidente que el cumplido le complacía.

—Para ser concretos —dijo—, Thule quiere apoderarse de Brujas y convertirla en una especie de Disneylandia de la edad media. Su estrategia es muy simple. A través de la sociedad inmobiliaria de mi padre, ya hace un tiempo que compran bienes inmuebles a bajo precio con la intención de revenderlos después a algunos privilegiados que poseerían así una vivienda lujosísima en la ciudad.

—¡Por Dios! —exclamó Van In—. Por eso el Investbank está loco por conseguir mi casa.

—Mi padre forma parte del consejo de administración del Investbank —corroboró Xavier.

—¡Cabrón! —estalló Van In.

Hannelore sonrió. Estaba contenta de haber podido solucionar ese problema.

—¡Pero eso no es todo! Para conseguir su objetivo, tienen que eliminar a los comerciantes de Brujas y evacuar a los habitantes más arraigados, ya que en un parque temático no debe vivir nadie. Los habitantes autóctonos sólo impiden que los turistas deambulen a sus anchas. El nuevo plan de circulación fue un primer paso para desanimar a los comerciantes. Haciendo que la ciudad fuera inaccesible, acabaron con el turismo de larga duración, y la gente que vive en la periferia de Brujas va ahora a comprar a los pueblos vecinos. Los comerciantes con un negocio sólido se mudan y los pequeños tenderos quiebran. Son reemplazados por trabajadores a destajo que venden pralinés, encajes y bocadillos destinados específicamente a los turistas de un día. La segunda fase es crear una ciudad dormitorio fuera de Brujas. Esa idea ya fue aplicada en Venecia hace muchos años. Esa ciudad es un museo al aire libre y los trabajadores del parque temático viven en Mestre, un apéndice artificial de la ciudad de los Doges.

—Los pólders. ¡¿Te acuerdas de las fotos de Fiedle?! —dijo Van In llevándose una mano a la frente.

A Xavier le gustó haber sorprendido al comisario.

—Mi padre quiere conectar Brujas otra vez con el mar. La superficie de tierras cultivadas es cada vez más pequeña y un grupo creciente de campesinos va dejando sus actividades. Una parte de los pólders será declarada parque natural para contentar a los ecologistas, el resto será parcelado. Un consorcio europeo planea construir tres mil nuevas viviendas en el eje Brujas-Zeebrugge.

—¡Es por eso que necesitan el apoyo de Moens! —dijo Van In.

—Según Fiedle, el alcalde era un obstáculo que no había que subestimar —siguió Xavier—. Con el anterior concejo municipal el asunto estaba en el bote. El proyecto «The Pride of the Polder» sería ahora una realidad si las elecciones no lo hubieran malbaratado.

—¡Buscan entonces conseguir el apoyo de Moens enviándole amenazas de muerte y poniendo bombas! —dijo Hannelore sacudiendo la cabeza.

—En parte, señora. El objetivo de los atentados es crear psicosis de pánico. La crisis económica y el nuevo plan de circulación han causado ya importantes pérdidas económicas. Una crisis provisional, provocada por una oleada de actos terroristas, acabará de doblegar a los comerciantes. Ninguno de ellos puede permitirse una mala temporada.

—¡Increíble! —exclamó Hannelore.

Van In encendió otro cigarrillo. Demasiados datos, la cabeza le daba vueltas.

—¿Creytens es miembro de Thule?

Xavier se sacó un bloc de notas del bolsillo.

—Creytens, Lanssens, Bostoen y muchos más. Todos ellos forman parte de ese monstruoso complot.

—¿Y el MWR?

—No, comisario. Ha sido idea de Bostoen hacer renacer el MWR para la ocasión. Si se llegara a probar que han sido los valones quienes están detrás de las bombas, habría una caza de brujas, y eso es precisamente lo que Thule quiere.

—¡Muy ingenioso! —dijo Van In.

Van In atizó el fuego y miró penetrantemente al joven pálido. Xavier encajaba perfectamente en su teoría del caos. Su testimonio permitía comenzar a desembrollar los hilos de una trama muy complicada. Por lo menos, ahora sabía que era Creytens quien había informado al asesino acerca de Adriaan Frenkel a través de Thule.

22

Nicolaï llegó a Brujas un poco antes de las doce del mediodía. El joven valón se había vestido de forma discreta: un chándal negro y un abrigo corto de lana. En la mochila de nilón llevaba una fina cuerda de escalada de cincuenta metros, un par de zapatos flexibles, un arnés, una decena de *friends* y una bolsita con magnesio. En la mano derecha sostenía una bolsa de deporte sin ningún logotipo.

La noche anterior, había llamado a la persona que le había hecho el encargo. El mensaje fue breve: la ascensión será mañana.

—¡De acuerdo! —se oyó al otro lado de la línea.

En Brujas la temperatura era tres grados más alta que en Gante. Según el instituto meteorológico, la temperatura no descendería esa noche por debajo de los seis grados, con un moderado viento del sur y un cielo ligeramente cubierto. Eran las condiciones ideales que había estado esperando.

Nicolaï tomó el autobús en dirección al centro y por segunda vez pasó junto a la estatua ecuestre del rey Alberto I. Los músculos le temblaban, y su acelerado pulso enviaba descargas de adrenalina por todo su cuerpo.

Siempre estaba nervioso antes de un ascenso, y sabía por experiencia que sólo se calmaría cuando estuviera cara a cara frente al adversario.

Bajó del autobús en la plaza Markt, bajo la mirada indiferente de Jan Breydel y Pieter Deconinck. El joven valón miró con cierta admiración a los libertadores héroes de Brujas.

En 1302, habían pasado por la espada a los soldados franceses en su propia cama. Habían luchado por la libertad y contra la opresión de un arrogante señor feudal. Ciudades como Brujas, Gante e Ypres se rebelaban contra el yugo feudal y luchaban por conseguir más independencia. Los preciosos documentos de la época se conservan en la torre del campanario, el Belfort, verdadero guardián de los derechos de los «ciudadanos». Y el mercado cubierto que se encuentra bajo la torre simbolizaba la libertad de comercio.

Nicolaï había preparado minuciosamente la misión. Los días precedentes los había pasado leyendo toda la documentación sobre Brujas que había encontrado, le parecía importante conocer a su adversario como a la palma de su mano.

Nicolaï sentía respeto por la altiva torre del siglo XIII y por la historia que sus muros albergaban. Y sin embargo, si él estaba allí en ese momento, era para mutilarla a cambio de un puñado de denarios de plata.

Van In se había pasado toda la noche dando vueltas en la cama. Hannelore había bajado al salón y se había instalado en el sofá. En momentos de crisis, prefería dejarlo solo. Francamente, la historia de Vandekerckhove también la había trastornado a ella.

«En nuestra sociedad racional ya no queda sitio para un *deus ex machina*», pensó.

Cuando Hannelore le llevó el café a la cama, Van In roncaba ruidosamente. Viendo que no reaccionaba a los besos, le sacudió por los hombros.

—¡Las ocho, cielo, hora de levantarse!

Van In abrió los ojos sorprendido, la intensa luz le hizo parpadear y se tapó inmediatamente la cabeza con la sábana.

—¡Es domingo! —protestó.

Hannelore alzó los hombros, dejó la bandeja sobre la cómoda, se desnudó y se tumbó sobre la espalda de él; en treinta segundos estaba perfectamente despierto.

—¡No, es miércoles! —dijo ella bien convencida.

Cuando hubieron terminado, Van In encendió un cigarrillo y miró el despertador.

—¡Las ocho y veinte! —maldijo.

—¡Sí, desde luego, ya no tienes veinte años! —se burló ella.

Van In apagó el cigarrillo y fue hacia el cuarto de baño como un Apolo maduro.

—¿Esta noche, la tienes libre? —preguntó antes de abrir el grifo.

Hannelore fue tras él, corrió la cortina de la ducha y se puso a su lado bajo el chorro de agua.

—¡No te comprendo!

Permanecieron diez minutos bajo el chorro de agua caliente y, luego, mientras se vestían, Hannelore se pasó todo el rato revolviéndole el pelo mojado.

Van In la estaba esperando en la puerta del juzgado a las seis y media. Se había apresurado. Versavel y él se habían pasado todo el día trajinando con el papeleo. Ahora tenía el corazón en un hilo. Con un poco de suerte, mañana dejarían atrás este caso tan terriblemente engorroso.

Encontraron la granja de Enzo Scaglione con bastante facilidad. Era claramente visible desde el antiguo camino que conectaba Torhout con Diksmuide. Un estrecho y sinuoso sendero de grava conducía a la casa.

Una parte del terreno estaba asfaltada y ofrecía espacio para tres vehículos. Scaglione había confiado el diseño del jardín a un paisajista totalmente carente de imaginación: consistía en un trozo de césped cortado uniformemente, un trío de abedules en el centro y un macizo de rosales alineados en paralelo a la fachada.

Un preceptivo seto de aligustre protegía esa verde extensión desértica de la mirada de curiosos.

La casa había sido renovada por completo. Había reemplazado las pequeñas ventanas y colocado en su lugar caros marcos de ebanistería, y sólo había conservado un ejemplar en mal estado de una de las dos pintorescas puertas de establo. En cambio, había dejado el estucado blanco que recubría los muros y la franja negra de la parte inferior, así como el nicho encima de la puerta de entrada, que abrigaba una imagen de yeso coloreado de la Virgen.

Van In aparcó el Golf en la parte asfaltada, frente a la puerta de un macizo cobertizo.

—¿Estará en casa? —preguntó Hannelore bajando del coche.

Un golpe de viento fresco se le coló por debajo del abrigo y la hizo temblar.

—Lo sabremos enseguida —respondió Van In optimista.

Enzo Scaglione había visto el coche de policía doblar por el sendero de grava. Se había estado preparando muchas veces para cuando llegara este momento. Al ver que sólo se trataba de un vehículo, el corazón le palpitó más lentamente. Si hubieran venido por lo que él creía, habrían sido más. Mientras el Golf se acercaba lentamente, trató de adivinar qué error había cometido. Frenkel estaba muerto y era el único que podría haber jodido el asunto. Por una u otra razón, el holandés había seguido a Fiedle y había impedido que Scaglione rematara el trabajo. Por suerte, el alemán había muerto a causa de las heridas. No comprendía cómo la poli había podido relacionarlo con él, ya que *Herr* Witze le había asegurado que Frenkel no había hecho ninguna declaración, y lo sabía porque el juez de instrucción que llevaba el caso era un destacado miembro de Thule.

Enzo puso cuidadosamente la Magnum en un hueco excavado a propósito en una de la vigas que sostenían el techo. Él mismo había preparado ese escondite y lo había provisto de una pequeña puerta abatible que podía abrir o cerrar con un solo gesto de la mano.

—En todo caso, hay luz —dijo Van In, y señaló un débil rayo de luz que se filtraba por entre las espesas cortinas.

—¡Ten cuidado, Pieter! ¿Vas armado?

Él negó con la cabeza.

Hannelore estaba asustada, pero por nada del mundo habría dado un paso atrás.

Van In examinó la puerta de entrada, pero no encontró el timbre. Llamó con los nudillos.

Enzo inspiró profundamente, se alisó el pelo y fue hasta la puerta. Ahí esperó a que el policía llamara otra vez.

—¡Buenas noches! —dijo parsimoniosamente.

—¡Buenas noches, señor Scaglione! Me llamo Van In y soy de la policía de Brujas —dijo, omitiendo deliberadamente presentar a Hannelore—. ¿Podemos entrar?

«¡Un simple poli!», pensó receloso.

—¡Claro!

Enzo les dejó pasar y les señaló un confortable tresillo.

—¿En qué puedo ayudarle, señor Van In? —dijo cogiendo una silla y yéndose a sentar bajo la viga con el escondite secreto.

—De hecho, nuestra presencia aquí es en cierto modo informal, señor Scaglione —sonrió afablemente Van In—. ¿Le molesta si fumo?

—No, en absoluto. Hay un cenicero en la mesita.

Mientras Van In encendía el cigarrillo, a Scaglione le pasó por la mente una idea particularmente desagradable. En Sicilia, no es nada raro que los asesinos a sueldo se hagan pasar por polis. La mujer sólo estaba allí para hacerle tragar el engaño.

Scaglione se levantó y puso la mano a un lado de la viga.

—No estoy habituado a recibir la visita de la policía —se excusó—. Pero ¿lo habitual no es que me enseñe su tarjeta de identificación?

—Sí, por supuesto.

Van In se palpó el bolsillo interior del abrigo. Enzo puso la punta del dedo en la ranura de la puertecita abatible.

Van In le enseñó la tarjeta y Enzo bajó la mano.

—Vivo aquí bastante aislado —dijo riendo con nerviosismo—. Y toda precaución es poca.

Ni Van In ni Hannelore respondieron a este evidente lugar común.

—¿Puedo preguntarle cuál es la razón de esta visita inopinada, señor Van In?

Enzo se arregló el nudo de la corbata y se sentó otra vez.

—Pensaba que sabía por qué estamos aquí, señor Scaglione. ¿O no lee los periódicos?

Hannelore estaba en guardia. Se había preparado para echarse al suelo al mínimo movimiento sospechoso de Scaglione.

Enzo alzó los hombros.

—¿Cómo podría saberlo, señor Van In?

—La semana pasada hicieron saltar por los aires la estatua de Guido Gezelle —dijo Van In secamente.

El ambiente en el pequeño salón era extremadamente tenso. Hannelore observaba a Scaglione. El hombre fingía estar nervioso, y a ella ese comportamiento le parecía atemorizante.

—Usted cree sin duda que yo he seguido el ejemplo de mi padre —dijo Enzo lentamente.

Los ojos le brillaban como plata pulida. Van In permaneció en silencio y echó una densa nube de humo al techo.

—Me temo que voy a decepcionarle, señor Van In. Mi padre está muerto. Dejó a mi madre en la estacada cuando yo era todavía estudiante. Me gano la vida honestamente. ¡Mire a su alrededor! El BMW del garaje es lo más caro que poseo.

Van In afirmó rápidamente con la cabeza. El salón estaba sobriamente amueblado, el televisor parecía prehistórico y los cuadros de las paredes procedían directamente del rastro.

—Si hubiera venido a detenerle, no estaría aquí solo —dijo Van In—. De todos modos, el pasado no me interesa.

Enzo hizo un vago gesto en el aire.

—Sé que el Mouvement Wallon Révolutionnaire no representa gran cosa. Thule trata de engañarnos y casi lo consigue.

Scaglione no reaccionó al oír la palabra Thule.

—¿Quién concibió el plan? ¿Fiedle? ¿Vandekerckhove? ¿Bostoen? ¿O usted, señor Scaglione? ¡Me gustaría saber qué viene a continuación en el programa!

—¡Señor Van In! —protestó Scaglione—. ¡Discúlpeme, pero no entiendo ni una palabra!

El siciliano trataba de disimular. Hannelore escrutaba atentamente la expresión de su cara.

—¡Entonces, iré directamente al grano, estimado Enzo!

Van In había sembrado la duda en el ánimo de Scaglione. Había escogido con precisión el momento de dejar de llamarle señor Scaglione.

—Si no me equivoco, su madre fue atropellada por un conductor borracho hace ocho años.

Scaglione saltó de la silla. «¡Excelente apertura, excelente!», pensó Van In congratulándose.

—¡Siéntate, Enzo, y escucha atentamente!

Scaglione se dejó caer como un saco de harina. Van

In estaba ahora seguro de ganar la partida. La emoción del siciliano al evocar la muerte de su madre había sido especialmente vívida aun a pesar de los años que habían pasado.

—El asesino —dijo, utilizando esta palabra muy intencionadamente— cometió un delito de fuga, y el caso no fue nunca resuelto. ¡Lo que tú no sabes, Enzo, es que la policía se dejó sobornar!

Scaglione levantó la cabeza. Apretó los dientes, pero el labio superior le temblaba, una reacción habitual entre la gente mediterránea, para quienes la línea divisoria entre la pena insondable y la cólera sedienta de venganza es muy tenue.

—¡Y vosotros lo habéis ocultado siempre! —gritó él, se levantó de un salto y empezó a recorrer la habitación como un león enjaulado.

—¡Siéntate, Enzo! Descubrí la verdad ayer mismo.

Van In había conseguido ahora desorientar por completo a Scaglione. Le había obligado a enfrentarse a un sentimiento de culpa que le atormentaba desde hacía años. La noche en cuestión había llegado más tarde que de costumbre a casa. Le había prometido a su madre que irían juntos a hacer las compras al supermercado; cuando ella vio que él no se presentaba, se marchó sola a pie. Eso, en todo caso, es lo que figuraba en el atestado que la fiscalía de Neufchâteau le había enviado por fax a Van In.

—Entonces, ¿usted sabe quién mató a mi madre, señor Van In?

—Te lo puedo probar con pelos y señales, Enzo.

Scaglione respiró profundamente y se dio la vuelta. La pena había desaparecido, y la resolución que Hannelore vio ahora en su mirada le puso la carne de gallina.

—Supongo que no me dará esa información gratuitamente —dijo Enzo fríamente.

—Eso es lo que estoy tratando de explicarte, Enzo. Quiero que los atentados con bombas cesen.

Scaglione empezó a andar otra vez arriba y abajo. La ley del silencio era sagrada para un siciliano, pero, después de todo, él era medio belga.

—Ya sé que el atentado guarda alguna relación con The Pride of the Polder.

Scaglione dirigió una mirada asustada a Van In. Ese poli sabía demasiado.

—La bomba tenía como objetivo presionar al alcalde para que aprobara el proyecto. La explosión en la estatua de Guido Gezelle, ¿era una advertencia, verdad?

Scaglione asintió con la cabeza. Buscaba febrilmente una solución al dilema al que se enfrentaba.

—Vale, Enzo. Eso es ya un principio. Siéntate, hablaremos con más tranquilidad.

Scaglione obedeció como un recluso.

—¡De acuerdo!, pero primero quiero saber quién atropelló a mi madre.

Van In encendió otro cigarrillo y les ofreció uno a Hannelore y a Scaglione.

—¿Tengo el aspecto de ser una persona que no mantiene su palabra? —preguntó irritado.

—No —respondió Scaglione.

Súbitamente, se levantó y fue hacia el viejo bufet, junto a la estufa de aceite. Hannelore estiró los músculos, pero Van In no es que se sintiera precisamente a gusto. Quizás había sobreestimado sus cartas. El ruido del cristal de unos vasos entrechocando distendió de golpe el ambiente. Enzo llevaba en una mano tres vasos y en la otra una botella de Amaretto. Dejó los vasos decorados con un borde dorado en la mesa del salón, acercó su silla y los llenó sin preguntar nada.

—El Belfort, el campanario de Brujas, es el próximo objetivo —dijo como si anunciara el principio de la liga de fútbol.

—¿Cuándo? —preguntó Van In con voz ronca.

—La próxima semana.

—¿Cuándo exactamente?

—El miércoles —respondió Scaglione con voz glacial.

—¿Cómo?

—No lo sé, señor Van In.

—¿Quién?

Scaglione alzó los hombros.

—Sólo he mantenido contacto telefónico con ese tipo. Me llama él. Ni siquiera sé dónde vive.

Van In se bebió el dulce Amaretto de un trago. Hannelore siguió su ejemplo. Estaba contenta de que lo peor ya hubiera pasado.

Scaglione llenó otra vez los vasos. Parecía un poco más aliviado.

—¿Habrá otras bombas? —preguntó Van In.

—Creo que no. Después de la próxima explosión, la sociedad Travel hará una propuesta a la ciudad de Brujas. Vandekerckhove asumirá los costes de la restauración a cambio de que el Proyecto Pólder sea aceptado. Obviamente, lo formulará de una manera más sutil.

—Ya me lo imagino —asintió Van In.

—Y ahora, ¡el nombre del asesino!

Van In se limpió los labios con el dorso de la mano.

—Soy un hombre de palabra, Enzo.

Se sacó dos hojas de papel del bolsillo interior de la chaqueta y se las tendió a Scaglione.

—Es una copia del atestado oficial. Cuando tú pusiste una denuncia en la gendarmería de Neufchâteau, encontraron un testigo. Ese tipo describió el vehículo y pudo recordar las dos primeras letras de la matrícula. Con el ordenador, los gendarmes hicieron una lista de todos los Mercedes cuya matrícula empezara por AV. La gendarmería de Brujas localizó un Mercedes marrón oscuro con matrícula AV 886. Dos días después, el atestado aterrizaba en la fiscalía. A pesar de que el coche tenía una fuerte abolladura en el radiador, a petición del juez de instrucción Creytens la investigación no siguió adelante. El tipo que conducía el coche era Georges Vandekerckhove, Enzo, el hombre para quien tú ahora haces el trabajo sucio.

—¿Creytens?

—Aparentemente, le conoces —dijo Van In con desenvoltura.

Scaglione comprendió que se había ido de la lengua. Hannelore se extrañó de que no hubiera reaccionado al oír el nombre del conductor.

—Mi padre conoce a Creytens desde hace mucho tiempo.

—El viejo Creytens, supongo.

—¡¿Quién si no?!

—¡Vaya, hombre! ¡El tesoro de los Nibelungos! —comentó Van In—. ¡¿Cómo he podido olvidar ese episodio?! Fue tu padre quien lo escondió.

Scaglione se bebió el Amaretto en silencio.

—¡Venga, Enzo! ¡Ese caso hace siglos que ha prescrito! Todo el mundo sabe que el viejo Creytens hizo que transfirieran el sumario de tu padre al tribunal de Tournai. Pero el viejo Luigi era un hombre impaciente. No pudo esperar a que el procurador general persuadiera al juez de que no era conveniente un proceso en Brujas. Por eso, les dio la orden a sus cómplices desde la prisión de que pusieran una bomba frente a los juzgados. Tuvo la mala suerte de que su abogado estuviera enfermo y no le pudiera avisar a tiempo de que su demanda había sido aceptada y de que iba a ser juzgado ante un tribunal francófono.

Scaglione se tiró sobre el Amaretto. Van In observó que le temblaban las manos. «El círculo está casi cerrado», pensó de buen humor.

«La pregunta que ahora me planteo es: ¿cómo consiguió un gánster obtener lo que quería de un magistrado de la fiscalía?»

—¡El oro! —gritó Scaglione—. ¡El oro vuelve loca a la gente!

—He preguntado qué tiene que ver el procurador general Creytens con el caso —repitió Van In obstinado.

—Después de la guerra, Creytens ayudó a un oficial de las SS a huir clandestinamente al extranjero. Ese tipo le confió que el tesoro se encontraba en el lago Tipliz. En 1966, volvió a ponerse en contacto con él y les prometió a Creytens y a Vandekerckhove dos millones de dólares si conseguían poner el oro a salvo en Paraguay.

—¿Por qué en 1966?

Hannelore había intervenido por primera vez en la conversación. Scaglione apenas le prestó atención. La información que les estaba proporcionando no podía ser utilizada absolutamente para nada.

—Thule fue disuelta en 1944, pero en 1966 unos codiciosos industriales la resucitaron. Esa nueva generación de hombres de negocios había comprendido que la guerra es un instrumento que puede dar mucho de sí. Adoptaron una nueva estrategia. El ruido de botas estaba pasado de moda. Aspiraban a dominar Europa de otra manera, pero para ello necesitaban dinero. El joven Vandekerckhove no dejó escapar la oportunidad y se puso en contacto con Creytens.

—Así los neofascistas se guardaban el pan para mañana —comentó cínicamente Van In.

La historia había demostrado cómo las SS había adquirido una reserva de oro.

—Sí, así podría decirse —asintió Scaglione—. Pero embarcar dieciséis toneladas de oro resultó más difícil de lo que esperaban. Entonces, Vandekerckhove llegó a un acuerdo con el empresario de L'Étoile.

—El desafortunado propietario del club de noche —completó la frase Van In.

—Sí. Él introdujo el oro en el mercado negro.

—Y fue un poco demasiado codicioso... —adivinó Van In.

—Exactamente. A mi padre no le gustan los tramposos, así que se encargó de arreglarle las cuentas.

Enzo alzó los brazos y suspiró profundamente.

—En 1966 tú eras sólo un niño —comentó Hannelore con escepticismo.

—Sí, exactamente, señora. Mi padre no hablaba nunca sobre sus actividades profesionales, pero en nuestro medio, las buenas historias pasan de generación en generación.

—¡Estás completamente loco, Pieter van In! —exclamó Hannelore cuando subieron al Golf—. ¡Ese hombre es con toda evidencia culpable, y tú haces como si nada!

Van In encendió un cigarrillo y echó el humo contra el parabrisas empañado.

—En el tribunal están constantemente dándonos la lata para que aportemos pruebas —respondió secamente—. ¿De qué serviría arrestar a Scaglione si veinticuatro horas después estaría otra vez en la calle?

Hannelore se tragó el resto de sus críticas. Van In tenía razón.

—Scaglione nunca jamás delatará la operación —dijo Van In mientras ponía el coche en marcha.

—¡Pero si lo acaba de hacer contigo!

—Sólo ha dicho que el campanario es el próximo objetivo. Pero no me va a hacer creer que no sabe quién lo hará ni cuándo exactamente.

—Ha dicho el miércoles.

—Sí, es lo que ha dicho.

Al salir del sendero y entrar en la carretera principal, Van In puso la cuarta y apretó el acelerador.

—Scaglione quería saber el nombre del asesino de su madre. Sabe muy bien que nosotros no podemos hacer nada.

—En todo caso, no reaccionó cuando tú pronunciaste el nombre de Vandekerckhove —dijo ella obstinada.

—Ni falta que hacía. Ya lo ha condenado a muerte.

—¡¿De veras lo crees?!

—Conozco a los sicilianos. Tócales a su madre, hermanas o mujer y ya puedes hacer testamento.

—¡No me gusta que me ocultes cosas, Pieter!

Van In no respondió. Quinientos metros más adelante, giró por un estrecho camino de arena. Hannelore se mordía los labios. Se sentía como una jovencita a la que después de una apasionada relación de tres semanas, la dejan plantada.

—¿Vamos a quedarnos aquí mucho tiempo? —preguntó al cabo de diez minutos.

—¿Tienes frío?

Van In puso en marcha el coche y encendió la calefacción.

—¡No seas idiota, Pieter!

Él le pasó el brazo por los hombros, pero ella le rechazó con firmeza.

—¡Eres un pretencioso! —dijo enfadada.

Van In trató de aproximarse a ella.

—¡Déjame en paz!

Él obedeció sumiso.

—No olvides que vamos a casarnos —suspiró él.

—¡Eso crees tú!

A pesar de que la calefacción estaba al máximo, el ambiente era glacial.

—¡Parece como si yo fuera tu enemigo! —dijo Van In al cabo de un rato.

—¡Tú decides, Pieter van In!

—¡Te quiero, Hanne!

—¡No creas que así te vas a salir con la tuya! —refunfuñó ella—. ¡Quiero saber lo que pasa!

—Te lo contaré luego —dijo terco Van In.

—¿Por qué no ahora?

—No quiero ponerte en una situación embarazosa. Si ahora te confío lo que pienso, expongo a mi adorada magistrada de la fiscalía a una falta profesional grave.

—¡Como si no fuera ya el caso! —respondió ella arisca.

—¡No a ojos de la ley, mi queridísima sustituta!

Él la acarició y ella se aproximó diez centímetros.

—Entonces, ¿por qué estamos aquí parados?

—Porque —susurró él a su oído— seguirle la pista a

un sospechoso no va en contra de las reglas deontológicas.

Ella dejó de estar a la defensiva y así terminó su primera verdadera pelea.

—¿Crees que Scaglione va a salir esta noche?

—No me sorprendería —dijo Van In misteriosamente—. ¿Te has fijado en los zapatos que llevaba?

—Mocasines negros —dijo ella con orgullo.

—¡Exacto! ¡Y has mirado bien el suelo?

—Era de madera encerada —dijo ella con las cejas fruncidas.

—Y la estufa de aceite estaba con el fuego muy bajo y no obstante hacía mucho calor.

—¡Por favor, Pieter, ve al grano, me estoy muriendo de curiosidad!

Van In puso una cara que ni un payaso profesional.

—Hemos tenido suerte. Scaglione estaba a punto de marcharse. Se había quitado las zapatillas y había puesto la estufa al mínimo. Nuestra visita le ha chafado los planes.

Hannelore le miró sin comprender.

—Había un par de zapatillas al lado de la estufa.

—Vale, ¿y?

—Pues bien, Enzo Scaglione fue criado por su madre. Ella le enseñó a ponerse las zapatillas cuando iba a pasar la noche en casa.

—¡Pieter van In! —dijo Hannelore amonestándole—. Si empiezas a prestar atención a este tipo de detalles, yo...

—... tú, te sentirás incómoda.

—Por supuesto —dijo ella—. Un poli que está convencido de que alguien va a cometer un crimen porque a las once y media de la noche todavía lleva puestos los zapatos, es...

—... genial, ¡¿verdad?!

—¡Basta!

En el preciso momento en que estaba a punto de deslizar su mano bajo la blusa de Hannelore, la radio empezó a emitir ruidos. ¡El sentido de la oportunidad de Versavel empezaba a ponerle de los nervios!

—¡Hola, Pieter!

—¡Hola, Guido!

—¿Molesto?

—¿Molesta, Hanne?

—Lo siento, Pieter, pero creo que esta información es bastante importante.

—¡Dime, te escucho!

—Croos ha enviado esta noche por fax una foto de un tal Nicolaï. El tipo fue fotografiado en un control rutinario en los alrededores de la torre del Belfort. Y parece ser que el tío es un conocido ratero.

—¡Por fin hace algo Croos! —suspiró Van In.

—La policía de Gante ha registrado su apartamento y ha encontrado un plano del campanario.

—*Benson im Himmel!*

Van In trató de mantener la calma. Si ahora daba la voz de alarma y luego no pasaba nada, quedaría irremediablemente en ridículo. Primero tenía que saber qué estaba tramando Scaglione.

—Nicolaï ha desaparecido sin dejar rastro. Según un vecino, se entrena tres veces por semana en un rocódromo de Kortrijk.

—¿Y no ha aparecido por ahí?

—Negativo, Pieter. Me ha parecido que tenía que informarte esta misma noche.

—¡Ha sido muy buena idea, Guido! Si hay alguna novedad, me pondré en contacto con el oficial de guardia. Gracias por la llamada.

—¡Buenas noches, y saluda de mi parte a Hannelore!

La joven cogió el micrófono.

—¡Adiós, Guido!

A la una y cuarto, el coche de Enzo Scaglione tomó el sendero de grava en dirección a la carretera principal. Llevaba colgada del cuello una gruesa cadena de oro, regalo de su madre cuando había cumplido veintiún años. A su lado, llevaba una emisora, de ese tipo que la gente utiliza para dirigir maquetas de aviones. Era un aparato de los que venden en las tiendas, con la frecuencia modificada. Tenía un alcance de un kilómetro y la longitud de onda había sido regulada para que coincidiera con la de los detonadores que Nicolaï iba a instalar dentro de un par de horas.

23

Era una noche oscura y suave, como estaba previsto. Desde medianoche, Nicolaï no había apartado los ojos del campanario. Cada veinte minutos, una patrulla de la policía hacía una ronda según un estricto recorrido: la plaza Markt, el Burg, Blinde-Ezelstraat, Dyver y vuelta por la Nieuwstraat y el Oude Burg. Esta rigurosa guardia resultaba enojosa, pero apenas ponía en peligro su misión. Los agentes controlaban puertas y ventanas, pero no prestaban ninguna atención a la torre del campanario.

Cuando Nicolaï hubo cronometrado hasta la saciedad las idas y venidas de la patrulla, se situó; eran las tres en punto, en la Karthuizerinnestraat, detrás de una de las columnas de la puerta Pro Patria. Se había cambiado las zapatillas de deporte por el calzado de escalada. Llevaba la cuerda debajo del chándal, enrollada en diagonal por encima del torso.

Cuando la patrulla desapareció por la esquina de la Hallestraat, puso en marcha el cronómetro y se ciñó a la espalda la mochila con los explosivos. Cruzó la calle como si fuera un felino y buscó refugio a la sombra de los sólidos muros del mercado cubierto. Aproximadamente a medio camino, se quedó parado junto a una cañería de desagüe. Una rápida ojeada le bastó. La calle estaba desierta y no había ya ninguna luz encendida tras las ventanas.

El mercado cubierto está formado por un cuadrilátero cerrado con un patio interior. La torre se apoya en el edificio central por el lado que da a la plaza Markt. La Wollestraat delimita el lado este, el Oude Burg, el oeste y la Hallestraat, la parte sur.

Nicolaï había escogido la Hallestraat porque obstaculiza la vista de la torre, es estrecha y prácticamente no vive nadie allí.

En menos de un minuto había llegado al canalón del tejado subiendo por la cañería. Tumbado sobre la barriga, esperó en tensión algunos instantes. Después, corrió sobre las tejas de pizarra del tejado inclinado. Cuando llegara al caballete, ya no se le vería. Con los zapatos de escalada no hacía ni el más mínimo ruido. En un abrir y cerrar de ojos llegó al pie de la torre. Ahí empezaba el verdadero ascenso. Nicolaï se frotó polvo de magnesio en las manos y se apoyó en un canecillo. Hasta el ángulo de la torre, el muro era bastante tosco. Franqueó la distancia hasta el primer pretil en menos de cinco minutos, se ocultó detrás de las almenas y evaluó la situación. Una mirada a la plaza Markt fue suficiente. No pasaba ni un coche, ¡una imagen en la que deben soñar los urbanistas más puritanos! El silencio era sobrecogedor y cada ventana era tan ciega como el ojo de Polifemo. Dentro de once minutos, el coche de la policía doblaría por la Hallestraat.

Nicolaï se dejó resbalar cuidadosamente detrás del pretil hacia el lado oriental. Ahí podría apoyarse en la cañería que bajaba en línea recta hasta uno de los pináculos. El riesgo de ser visto era un poco mayor, pero valía la pena en relación al tiempo que así ganaba.

Lo consiguió en tres minutos. La balaustrada decorada con arcos de medio punto que unía los cuatro pináculos le ofrecía suficiente protección. Esperando a que pasara el coche patrulla, anduvo con paso firme como un turista obstinado hasta el lado oeste del campanario. Para más seguridad, esperó diez minutos antes de empezar a escalar el pináculo noroeste. La gran aguja ofrecía muchos puntos de apoyo y a través del contrafuerte ganó algunos preciosos metros. El último trozo hasta el hueco del campanario era perfectamente vertical y totalmente liso. Nicolaï palpó la pared. Un escalador experimentado sabe sacar provecho de la más insignificante irregularidad. A cerca de sesenta metros de altura, el frío le atenazó los dedos. Se paró un instante para calentarse las manos. Inspiró profundamente y prosiguió de nuevo. Finalmente encontró una grieta entre dos junturas. Introdujo un dedo en la hendidura y se izó hacia arriba. Con los pies curvados buscó apoyo en el muro. Dos metros más arriba percibió un seductor anclaje. Tenía la cabeza a la misma altura que el dedo que estaba en la grieta. Nicolaï sabía que podría aguantar en esa posición como mucho un minuto. Un punto de apoyo más, uno solo, y el anclaje estaría a su alcance.

Palpó cuidadosamente el muro. A pesar del frío, Nicolaï empezó a transpirar abundantemente. Con el pie izquierdo, tanteó cada centímetro cuadrado de la pared. Los segundos transcurrían a velocidad de vértigo. La altiva torre no se dejaba coronar así sin más, pensó. Cuando se le contrajeron los músculos de los brazos, tuvo que soltarse y se dejó caer sobre el lado superior del contrafuerte. Dos minutos después se encontraba de nuevo a la altura de la balaustrada.

Eran las tres y media e iba retrasado respecto a su esquema. No vio otra opción que intentarlo por el lado suroeste. Como no quería correr ningún riesgo, esperó hasta las cuatro menos veinte. Según sus cálculos, el coche patrulla estaría entonces en la Wollestraat.

Innumerables lluvias habían hecho que este lado fuera más rugoso. Nicolaï se maldijo por no haberlo pensado antes. Con ayuda de una piedra que sobresalía, alcanzó rápidamente el primer anclaje del muro y desde esa posición el resto fue pan comido. Los anclajes del muro formaban una línea de puntos negra hasta la base de los vanos de las ventanas del campanario. Cuando se izó sobre el apoyo del alféizar eran las cuatro menos diez. Sólo tenía media hora para instalar los explosivos. La detonación estaba prevista para las cinco y media y a esa hora él debía estar confortablemente instalado a salvo en el primer tren a Gante.

Nicolaï desenrolló los cables y colocó los explosivos en el lugar convenido. Luego, conectó los hilos con los detonadores. Lo había conseguido en menos de media hora.

El descenso fue fácil. Con una cuerda doble, bajó haciendo *rappel* y en tres etapas estaba abajo.

Scaglione aparcó su BMW en la Hoogstraat, irónicamente, justo enfrente de la antigua comisaría. Van In le vio frenar y giró por la Ridderstraat.

—¡No le quites la vista de encima! Voy a pedir refuerzos.

Hannelore se posicionó en la esquina de la Ridderstraat con la Hoogstraat. La luz de un mechero le indicó que Scaglione había encendido un cigarrillo.

—¡Aquí Van In! —dijo sin preocuparse por el código obligatorio de las llamadas.

—¡Marc Vandevelde, te escucho! —respondió el oficial de guardia con voz soñolienta.

Van In se asustó por los ruidos que hacía la radio y cerró la portezuela como medida de precaución.

—¡Quiero que evacuéis inmediatamente el centro de la ciudad!

—¿Qué dice, comisario?

Vandevelde se había despertado de golpe.

—Que evacuéis inmediatamente a todos los habitantes de la plaza Markt y de las calles adyacentes —respondió Van In furioso.

Podía comprender que Vandevelde no obedeciera inmediatamente. Él mismo se había desanimado hacía un rato cuando había visto que Scaglione se dirigía de su casa a una discoteca y se pasaba ahí hasta las cinco bebiendo capuchinos.

—¡Y ponte en contacto con los POSA, de la policía federal! Están en la caserna de la gendarmería. ¡Diles que está a punto de estallar una bomba!

—¿Comisario?

—¡Vandevelde, quiero que ponga a todo el mundo en la máxima alerta!

Se hizo un silencio. A Vandevelde le quedaban todavía por delante dieciocho meses antes del retiro, y no era la primera vez que Van In metía la pata.

—¿Me puede confirmar la orden, comisario?

—¡Vandevelde! —dijo casi gimiendo Van In—. Me han dicho que te has comprado un barco y que en breve tienes la intención de hacer que nuestra costa resulte más peligrosa, pero te aseguro una cosa: si no haces inmediatamente lo que te digo, te garantizo que nunca podrás llegar a pagar los plazos de ese jodido barco. ¿Entendido, Vandevelde?

El ruido de las sirenas sobresaltó a Scaglione. Van In oyó ponerse en marcha el BMW y arrastró a Hannelore hacia el Golf.

—¡Ese cabrón se larga! ¡Pero, ¡¿por qué tienen que hacer siempre tanto ruido, joder?!

Scaglione conducía el coche con una sola mano. Las cinco y cuarto. Esperaba que el valón hubiera terminado su trabajo a tiempo. Haciendo chirriar los neumáticos, recorrió a toda velocidad la Philippestockstraat y giró en la Vlamingstraat. A la altura del teatro, cogió la emisora y activó la señal. Nada. Scaglione lo probó de nuevo. Nada otra vez. El valón maldijo y apretó a fondo el acelerador.

La plaza del mercado estaba herméticamente cerrada y por todas partes había coches de la policía aparcados con las luces giratorias encendidas. El comandante Adam, de la policía federal destacada en Brujas, estaba de pie entre dos puestos de patatas fritas, frente al campanario.

El conserje de la torre, un hombre delgado que llevaba una bata de estar por casa antediluviana, abrió asustado la gran puerta. Doce hombres del cuerpo de élite estaban detrás suyo, dispuestos a intervenir. Llevaban cascos de asalto y chalecos antibalas y apuntaban sus Uzi en dirección al pobre indefenso conserje.

Cincuenta policías registraron durante más de una hora el mercado cubierto centímetro a centímetro. El guarda de seguridad de la Koesthuis juró y perjuró que la alarma antirrobo no había sonado.

Entretanto, el barrio había sido evacuado. El gobernador había activado el plan de actuación en casos de emergencia y los vecinos habían sido llevados en autobuses apresuradamente a la gran sala del parque Boudewijn. Un equipo de la televisión local llegó justo a tiempo de filmar algunas imágenes del caos que se había armado.

Van In pidió dos veces refuerzos para que le ayudaran a perseguir el BMW de Scaglione, pero por lo visto el plan de emergencia había movilizado a todos los hombres disponibles. Poco antes de llegar a Beernem, abandonó la persecución y volvió a tomar la dirección de Brujas.

—¿Por qué no has pedido ayuda a la gendarmería? —preguntó Hannelore indignada—. Ni siquiera les has comunicado su número de matrícula.

—Hemos conseguido frustrar el atentado, ¿no? —dijo Van In de buen humor—. ¡No te preocupes, Hanne! Todo está saliendo mejor de lo que esperaba.

—¡Pieter van In! —exclamó ella amenazándole—. ¡Exijo una explicación, y ahora mismo!

—Scaglione nos es más útil si anda por ahí suelto un rato —contestó riendo Van In.

—¿Qué has dicho?

—Lo siento, cariño, pero en esta fase no querría por nada del mundo comprometerte.

—¡¿Dónde he oído yo antes esa chorrada?! ¡¿Y qué pasará si la bomba explota incluso sin Scaglione?!

—Pues entonces habremos tenido mala suerte. Pero ¿tú has oído algo?

A las seis y media los expertos del servicio antiexplosivos se pusieron manos a la obra. Un equipo de tres hombres, vestidos con trajes de protección, sometieron el campanario a un minucioso examen. El cuerpo de élite de la gendarmería se mantenía vigilante y los agentes de la policía de Brujas buscaron protección en las calles adyacentes. Van In y Hannelore se habían posicionado al principio de la Vlamingstraat.

A las ocho menos cinco encontraron los explosivos. Van In siguió la conversación de los expertos antiexplosivos a través de su *walkie-talkie*.

—¡Mierda, hay suficiente material como para hacer saltar la mitad de la torre!

—¿Y los detonadores?

Hubo un silencio seguido de un estallido de carcajadas.

—¡Ese zoquete ha conectado los hilos al revés! Avisa de que todo está en orden. Nuestro terrorista o es un aficionado o es daltónico. Ha confundido el azul con el rojo. ¡Ni siquiera dándole martillazos habría explotado!

Scaglione conducía a ciento ochenta por hora por la autopista E40. La emisora la había tirado por la ventana hacía un cuarto de hora. Cerca de Bruselas aminoró un poco la marcha. Por ahora nadie le había seguido. Pasó por Vilvorde para llegar a Zaventem y aparcar cerca del aeropuerto. Una hora después degustaba un capuchino en la estación de trenes de Bruselas sur, en pleno centro de la ciudad. Después, llamó a la policía de Brujas y les dio la dirección de Nicolaï.

La siguiente llamada por teléfono con *Herr* Witze fue algo más larga.

—La operación se ha ido a pique. El valón lo ha fastidiado todo.

—¡*Ruhig, Herr* Scaglione, calma! ¡Quizás es mejor así!

—¡Sí, pero quiero que se me pague! ¡Han descubierto mi tapadera, he perdido mi casa y de Bélgica es mejor que me olvide!

Witze sonrió. Cogió un caro cigarro de una cajita plateada que estaba encima de su escritorio y lo encendió.

—Te ofrezco cien mil marcos si terminas el trabajito —dijo afablemente.

Scaglione le escuchó sumisamente. Cien mil marcos era una buena cantidad.

—¡Con una condición! —insistió—. Yo escojo la manera en que han de morir.

—Ninguna objeción —dijo Witze—. El proyecto Pólder está condenado, pero Fiedle no quería saber nada del asunto.

—¡Y quiero una nueva identidad y una casa en Sicilia!

—¡Entendido, *Herr* Scaglione! Me ocuparé de preparar la huida vía Suiza. Nos vemos dentro de cuarenta y ocho horas. Llámame mañana y todo estará arreglado.

Witze echó el humo de su cigarro en dirección a la luz procedente de su lámpara de mesa. Cuando la guerra en Yugoslavia hubiera terminado, seguro que Leitner aceptaría su propuesta de reconstruir Dubrovnik, pensó. Los turistas son seres caprichosos. Una ciudad completamente devastada por las bombas que como un Fénix renace de sus cenizas atraería a millones de visitantes. Eso reportaría buenas ganancias. ¡Occidente estaba muerto! ¡El futuro estaba en el este!

Van In recibió estoicamente las felicitaciones del alcalde. Moens incluso le dio unas palmaditas en la espalda ante las cámaras de televisión.

—¡Se ha ganado un ascenso con creces, Pieter! —dijo con una amplia sonrisa.

Hannelore aplaudió con entusiasmo y todos los presentes la imitaron. Después de la recepción en el ayuntamiento, se fueron rápidamente a casa, al Vette Vispoort. Van In arrancó el cable del teléfono y el timbre de la puerta. Versavel había recibido instrucciones de no molestar bajo ningún pretexto en los próximos tres días.

—¡Ahora eres un comisario de verdad! —dijo Hannelore tomándole el pelo.

Van In estaba tendido boca arriba cuan largo era y miraba pasar por la ventana las nubes de formas caprichosas.

—Me parece que va a llover —dijo casi con indiferencia.

—¡Caray! ¡Qué modestia!

Hannelore se dio media vuelta hasta quedar de lado y le acarició el pecho.

—Bien pronto serás comisario en jefe.

—Y tú, presidenta de la corte de apelación.

Van In estiró el brazo, cogió la botella y llenó a rebosar las dos copas de champán.

—Deberías estar orgulloso. Incluso has salido en la televisión alemana. Todo el mundo habla de ti como del intrépido comisario que ha salvado Brujas de una catástrofe colosal.

—¡La gente olvida rápido! —dijo con cierto tono de cansancio—. Mañana seré otra vez el poli malo.

Hannelore le daba un suave masaje en los músculos abdominales.

—No lo creo. La gente de Brujas no olvidará jamás lo que has hecho por su ciudad.

—¡Vaya tontería!

—¿Qué apostamos?

Van In le cogió la mano.

—Pues ya sabes lo que me apuesto —dijo con una sonrisa pícara.

—De acuerdo, pero yo escojo la posición.

Hannelore cogió el mando a distancia del televisor y buscó el canal de la emisora local. Cada media hora daban noticias. Van In le paró la mano.

—Estoy segura de que todavía están hablando de ti —dijo ella obstinada.

—¡Déjalo ya, Hanne! Dentro de veinticuatro horas todo será ya un caso viejo.

—¡Vale, en ese caso escoges tú la posición!

Van In dejó su mano libre y recostó la cabeza en los mullidos almohadones.

Hannelore cayó justo en medio de un espacio publicitario.

—He estado pensando otra vez en la estatua de Miguel Ángel —dijo ella.

Van In sólo la escuchaba a medias.

—¿No encuentras raro que nadie haya estado dispuesto a verificar la historia de Frenkel?

—¿Quién quiere ahora saber la verdad? —suspiró Van In—. Cada año van millones de turistas a la galería de los Uffizi para admirar el *David* de Miguel Ángel.

—La copia del *David* de Miguel Ángel —le corrigió ella—. Ya sabes que el original se encuentra en otro museo.

—¡Exacto! —afirmó Van In—. Y allí no hay nunca ni cuatro gatos.

—¡Dios Todopoderoso! —exclamó ella.

—¿Pasa algo?

—*Benson im Himmel!*

Van In se sentó en la cama y Hannelore vació de un trago su copa de champán.

«La ciudad de Brujas se ha visto sacudida hoy por un horroroso doble crimen —la presentadora intentaba mantener la voz serena—. La policía judicial se encuentra ante un enigma. El célebre industrial Georges Vandekerckhove ha sido asesinado este mediodía en su residencia de Middelkerke. La víctima había sido atada a la cama.»

Se veía una foto de la residencia de Vandekerckhove.

«Y una hora después, se ha encontrado el cuerpo sin vida del juez de instrucción Joris Creytens —dijo la presentadora tragando saliva con dificultad—. Ambos hombres fueron asesinados de una manera particularmente espantosa. El perverso asesino les comprimió la garganta con una soga y después les introdujo una cadena de oro en la boca.»

Van In cogió el mando a distancia para poner el volumen más alto.

—*Benson im Himmel!* ¡Quién podría haberlo imaginado!

—El comisario Croos, de la policía judicial, niega cualquier relación entre este doble asesinato y los recientes atentados con bomba. No hemos conseguido ponernos en contacto con el comisario Van In para pedirle su punto de vista.

—¡Esos asesinatos los llevarás sobre tu conciencia, Pieter! —dijo ella con una voz glacial—. ¡Dejaste escapar al asesino!

—¡Es culpa mía si esa gentuza se matan entre sí! No olvides que Vandekerckhove y Creytens son responsables del asesinato de Frenkel. ¡¿Y quién sabe qué otras fechorías estaban tramando?!

Hannelore alzó los hombros. Evidentemente, tenía razón. Cualquier juez se habría visto obligado a dejarlos en libertad por falta de pruebas.

—Pero no te preocupes —siguió Van In—. Antes de que tengamos tiempo de volver a hacer lo que ya sabes, se difundirá una orden de arresto internacional para detener a Scaglione. Ese estúpido no tiene adónde ir, y si el tejido epitelial que Timperman encontró bajo la uña de Fiedle corresponde a su ADN, nuestro amigo no se librará de la cárcel.

Van In apretó los brazos en torno al cuerpo de Hannelore. Ella dejó la copa, cerró los ojos y se abandonó a sus caricias.

—¿Qué te parecería la posición del misionero? —dijo él guiñándole un ojo.

No era el momento de contarle a Hannelore que el atestado sobre el delito de fuga de Vandekerckhove se lo había sacado él de la manga y que Versavel lo había tecleado impecablemente con ayuda de su vieja máquina de escribir Brother. Scaglione había picado. El campanario se había salvado y Hannelore seguía, a pesar de todo, queriéndole. ¿Qué más podía desear un hombre?